D1373934

Une rentrée
sanglante

Une rentrée sanglante

Peter Beere

Traduit de l'anglais par
Louise Binette

Les éditions
Héritage inc.

Données de catalogage avant publication (Canada)

Beere, Peter

Une rentrée sanglante

(Frissons; 64)
Traduction de: School for Death)
Pour les jeunes de 12 à 14 ans.

ISBN: 2-7625-8414-0

I. Titre. II. Collection

PZ23.B43Re 1996   j813'.54   C96-940497-2

School for Death
Copyright © 1993 Peter Beere
Publié par Scholastic Inc.

Version française
© Les éditions Héritage inc. 1996
Tous droits réservés

Conception graphique de la couverture: Jean-Marc Brosseau
Illustration de la couverture: France Brassard
Mise en page: Michael MacEachern

Dépôts légaux: 2e trimestre 1996
Bibliothèque nationale du Québec
Bibliothèque nationale du Canada

ISBN: 2-7625-8414-0   Imprimé au Canada

LES ÉDITIONS HÉRITAGE INC.
300, rue Arran, Saint-Lambert (Québec) J4R 1K5
(514) 875-0327

FRISSONS™ est une marque de commerce des éditions Héritage inc.

Prologue

C'est le début de l'année scolaire. Le temps idéal pour recommencer à zéro, se faire de nouvelles amies et renouer avec les anciennes. Le temps idéal pour... se noyer.

Alexie se noie dans les eaux sombres qui l'enveloppent et lui emplissent la gorge et les poumons. L'eau froide s'infiltre dans ses narines; son estomac se contracte et ses jambes s'agitent dans la boue. Ses mains se cramponnent aux feuilles et aux tiges des nénuphars qui plient sous ses doigts. Alexie se noie dans le lac du collège Sainte-Bénédicte, une école privée pour jeunes filles de bonne famille. Elle s'enfonce dans le lac argenté au clair de lune, comme une héroïne gothique.

Mais... un instant! Tout près de l'aile ouest plongée dans l'obscurité, une silhouette vêtue de blanc se dessine sur le roc noir de la falaise: une forme frêle, fantomatique, aux cheveux blonds et au pas léger, descend en glissant le talus abrupt qui surplombe le lac bordé de roseaux. Elle fonce dans l'enchevêtrement de fougères, d'oseille et d'aubépine.

— Alexie ! crie-t-elle.

Alexie fait un mouvement brusque et désespéré.

« C'est fini. Je ne peux plus respirer. Je ne vois plus rien. »

— J'arrive, Alexie ! Essaie de t'accrocher ! hurle Katerie.

Katerie Saint-Onge crie pour alerter quelqu'un dans l'école, pour demander du secours, pour qu'arrivent des hommes avec des bateaux et des perches. Mais c'est inutile. Il n'y a personne sur qui elle peut compter. Personne pour lui prêter main forte.

Elle avance à quatre pattes sur le quai de bois glissant auquel sont amarrées deux chaloupes pourries.

Le vieux quai oscille et l'eau clapote contre les pilotis. Le limon qui s'est formé entre les planches grouille d'insectes noirs. Katerie tend la main. Alex se débat, puis coule de nouveau.

— Alexie ! hurle Katerie.

C'est la noirceur totale. Il n'y a aucun son, aucune lueur. La lune disparaît derrière un gros nuage onduleux. Soudain des bulles éclatent à la surface de l'eau boueuse et stagnante : c'est un bruit vide et creux. La vaste étendue noire bouillonne comme du goudron. Le monstre de la nuit a dévoré sa proie et se rendort. Katerie plonge les bras dans les eaux du lac, cherchant à tâtons la main d'Alex, son visage, la manche de son chandail, ses cheveux. Elle essaie d'agripper Alex, sa copine, son amie pour la vie. Alex, qui n'est plus qu'un cadavre bouffi.

— Oh ! Alex ! Alexie !

On ne peut pas ressusciter les morts. Mais Alex se réveille en sursaut.

— Qu'est-ce qu'il y a ?

— Tu as encore fait un cauchemar. Il va falloir que ça arrête. Tu vas réveiller toute l'école.

— Un cauchemar ?

Alex s'assoit dans son lit. Elle s'est tellement débattue que le drap est tout entortillé autour de ses jambes.

— J'ai encore fait un cauchemar ?

Katerie fait signe que oui.

— Encore. Ça ne t'arrive pas de dormir paisiblement ?

Dans le noir, Alex distingue la lueur de son radio-réveil, la chemise de nuit pâle de Katerie et ses boucles dorées. Elle entend le ronflement de Maxine qui dort à poings fermés. Alex l'envie.

— Je me rappelle. J'étais en train de me noyer dans le lac. Tu as descendu le talus pour venir à mon secours.

La main fraîche de Katerie se pose sur son bras.

— Essaie de dormir.

Alexie frissonne en promenant son regard dans la pièce où quatre filles partagent leur vie, leurs espoirs, leurs pensées et leurs rêves.

— Je rêve trop. Inconsciemment, j'ai sûrement peur de quelque chose. Je rêve de la mort et de trucs comme ça. Je revois tout le temps…

Elle porte les mains à son visage. Ses yeux paraissent immenses dans sa figure pâle et délicate.

— J'imagine l'eau dans mes yeux. C'est la pire façon de mourir.

— Je pense qu'il n'y a pas de façon agréable de mourir.

Katerie sourit tandis qu'Alex se recouche.

— Maintenant, rendors-toi. Personne ne va se noyer. Personne ne va mourir.

— Non, chuchote Alex en remontant les couvertures jusque sous son menton.

— Essaie de faire de beaux rêves.

— Je ne veux pas en faire du tout.

— Bonne nuit, Alex.

Encore une fois, l'obscurité. Les bruits de l'école endormie. Les épais murs de granit. Les vastes classes peuplées de courants d'air. Les planchers qui craquent. Les couloirs sombres de Sainte-Bénédicte. Mais Sainte-Bénédicte, c'est aussi les amies, la confiance. Un endroit où la peur n'existe que dans les cauchemars. Un établissement où les jeunes filles s'instruisent et préparent leur avenir dans l'espoir et dans la joie. Alex ferme les yeux et rêve…

Chapitre 1

Lundi, huit heures vingt. La sonnerie du déjeuner retentit. Le bruit des talons martelant le plancher résonne dans les couloirs. Dans un coin de la salle des douches, devant le dernier lavabo de la rangée, Katerie et Alexie s'efforcent d'avoir l'air présentables.

— J'ai une mine terrible, dit Katerie. Mon teint vire au gris. Je manque de sommeil à cause de tes cauchemars.

Elle rejette ses longs cheveux blonds en arrière et frotte ses yeux bleu pâle.

— Mon corps change de forme.

Alexie se met à rire. Comme Katerie, elle est blonde et mince, mais pas aussi grande qu'elle, ni aussi âgée. Alexie vient d'avoir seize ans, tandis que Katerie en aura bientôt dix-sept.

Alexie crache son dentifrice.

— Tu es une vraie reine de beauté.

— Mais non, je suis horrible. Je ressemble à Suzie Migneault. Aucun garçon ne va vouloir de moi et c'est ta faute. Tu vas me détruire.

11

Katerie se redresse gracieusement jusqu'à ce qu'elle soit droite comme un piquet. C'est presque inné chez elle ; ses parents sont dans l'armée. Ils sont quelque part à l'étranger, elle ne sait plus trop où.

— Mes seins ont rapetissé.

Les deux filles se retournent quand, par une étrange coïncidence, la pauvre Suzie Migneault jette un coup d'œil dans la salle. Elles la regardent d'un air mauvais et elle déguerpit. Suzie est une vraie casse-pieds.

— Elle a trois mamelons, dit Katerie en se brossant les cheveux.

— Qui ? Suzie ?

— Oui. C'est Maxine qui me l'a dit. Elle l'a vue dans la douche.

— Ça ne se peut pas, trois mamelons.

— Y a des gens qui en ont encore plus que ça.

Katerie brosse ses sourcils.

— Les chiennes en ont dix.

— Suzie n'est pas une chienne, quand même.

— Pas tout à fait, non.

Katerie essaie d'aplatir les plis de sa jupe bleu marine, mais sans succès. Elle lisse son chemisier de coton blanc à fines rayures grises.

— On va me réprimander pour ça. On dirait que j'ai dormi avec.

— C'est exactement ce que madame Longpré dirait !

— Jeune fille ! Avez-vous dormi avec vos vêtements ? s'écrient-elles en chœur.

— Non, ce n'était pas mon tour. C'est quelqu'un d'autre qui les portait !

Katerie pousse un cri joyeux.

— Elle est folle !

— Jeune fille ! Ne courez pas ! Ne toussez pas !

— Ne croisez pas vos jambes comme ça. Vous avez l'air d'une prostituée.

Les deux amies se poussent du coude.

— Viens. Sinon, on va être en retard.

Katerie range ses affaires. Les filles se hâtent dans le couloir qui mène à la cafétéria.

— Est-ce que ma jupe est droite en arrière ?

— Oui. Ce sont tes jambes qui sont croches.

— Très drôle.

Katerie fait tournoyer sa jupe avec grâce en entrant dans la cafétéria. Encore une fois, elle a raté le déjeuner.

* * *

— Bonjour, mesdemoiselles.

Les filles sont toutes debout.

— Bonjour, madame Daigle.

L'enseignante leur sourit. Elle est tout en gris aujourd'hui : peau grise, cheveux gris, tailleur gris, comme une grand-mère. Elle replace ses lunettes.

— Ça va bien ?

— Oui, madame Daigle, répondent-elles.

Elle hoche la tête distraitement.

— Tant mieux.

Elle leur fait un signe de sa main grise, ce qui

signifie qu'elles peuvent s'asseoir. Elle regarde son bureau, comme s'il avait quelque chose de changé.

— C'est mon anniversaire aujourd'hui. Mais c'est hors de propos.

L'enseignante pousse un soupir.

— J'ai soixante-deux ans. Et quel jour sommes-nous? Lundi, bien sûr. Monsieur Brouillard est allé nous chercher des petites bêtes puisque le cours porte sur... quoi?

— L'environnement et des trucs comme ça, dit Marilyne Desjarlais à l'arrière.

— L'environnement et des trucs comme ça.

Madame Daigle soupire encore une fois.

— Je dirais plutôt que nous allons parler d'habitats. Aujourd'hui, nous allons faire une expérience. Et nous aurons de la compagnie.

Les filles se tournent vers la porte qui vient de s'ouvrir toute grande. Monsieur Brouillard entre en boitant, une grande cuve en plastique dans les mains. C'est un homme mince aux cheveux bruns dont le travail consiste, entre autres, à préparer les expériences de laboratoire.

— Monsieur Brouillard a eu fort à faire. Les avez-vous eus, mon cher?

— Je vous en ai attrapé quatre-vingt-quatre, répond-il en posant la cuve sur le bureau.

Il tire sur son veston brun et se frotte les mains, sans un sourire.

— Bien.

Madame Daigle sourit pendant que monsieur

14

Brouillard s'éloigne en boitant, traînant derrière lui une jambe en parfait état. Il boite pour faire peur aux filles et il se pense drôle. Il pourrait courir le marathon.

— Nous avons des cloportes…

Tous les yeux se posent sur la cuve.

— …et chaque équipe aura un plateau divisé en plusieurs compartiments. Nous allons voir comment réagissent les cloportes quand ils ont un choix à faire. Ce sera amusant, non ?

* * *

Le visage dans l'eau, elle flotte parmi les roseaux. Elle porte une robe jaune ; sa peau est pure et blanche. Ses cheveux épars forment un soleil autour de sa tête. Ses yeux sont clairs et brillants.

Mais ils ne peuvent rien voir, car elle est froide comme de la glace. Le sang ne circule plus dans ses veines. L'air ne vient plus gonfler ses poumons. Aucune pensée ne lui traverse l'esprit. Aucun battement ne résonne dans sa poitrine.

Elle porte le masque de la mort…

* * *

— Ce que nous voulons savoir, commence madame Daigle avec entrain, c'est comment se comportent les cloportes devant une alternative. Ils peuvent demeurer dans la lumière ou entrer dans un compartiment obscur. Nous devons minuter l'expérience. Vous avez toutes une montre ?

Vingt-huit filles répondent par un grognement.

— Les instructions figurent sur les feuilles que je vous ai distribuées. Je pense que c'est tout ce dont vous aurez besoin. Maintenant, une fille de chaque groupe peut venir chercher les cloportes.

On ne peut pas dire que les filles se bousculent pour aller en avant.

— Il y en a quatre-vingt-quatre. Vous pouvez en prendre neuf par équipe.

Quelques filles se lèvent sans enthousiasme.

— Vas-y, dit Alexie.

Katerie la regarde droit dans les yeux.

— Je déteste ces bestioles-là.

— Tu n'as qu'à les faire glisser sur le plateau.

— Vas-y, toi.

Elles se tournent vers Maxine qui se fait belle devant un miroir de poche, comme d'habitude.

— Pas question. Je viens de me limer les ongles.

— On s'en fout, dit Katerie.

Une fille pousse un cri étouffé à l'avant de la classe.

Maxine regarde ses amies d'un air incertain.

— Je n'aime pas les insectes.

— Mais c'est pas vraiment des insectes.

— Qu'est-ce que c'est, alors? Des papillons?

Maxine laisse échapper un soupir et les dévisage.

— Je n'irai pas.

— Et si on y allait ensemble? propose Alexie d'un ton encourageant.

Les autres sont d'accord.

— Mais tenez-les loin de moi. Sinon, je crie, dit Maxine.

16

Chapitre 2

Une annonce inattendue met brusquement fin au cours peu après dix heures. Marilyne et Susie Migneault accueillent la nouvelle avec soulagement, car leur expérience ne se déroule pas très bien. Elles semblent être tombées sur des cloportes plutôt nuls qui refusent de coopérer.

— Ils ne font rien, gémit Marilyne.

C'est une fille grande et mince aux cheveux bruns et au menton couvert de taches de rousseur.

— Je pense que ceux-là sont morts. Ils restent couchés sans bouger.

— Tu n'arrêtes pas de les pousser, dit Susie.

— Mais ils ne font rien! Regarde celui-là!

Marilyne le pousse avec son crayon.

— Il y en a six qui sont couchés sur le dos. Ce n'est sûrement pas normal.

— Ils se font peut-être bronzer.

— Ou peut-être que la lumière est trop vive.

Madame Robert, la secrétaire, entre dans la classe. L'air tendue, elle traverse le local comme un éclair.

— Qu'est-ce qu'elle veut?

Les filles s'assoient et regardent madame Robert se diriger vers le bureau de madame Daigle. Haut perchée sur ses talons, elle se penche pour souffler quelque chose à l'oreille de l'enseignante.

Madame Daigle la regarde, étonnée.

— Posez vos crayons, mesdemoiselles.

Elle se lève tandis que madame Robert sort aussi vite qu'elle est entrée.

— Nous devons interrompre le cours et descendre dans la grande salle.

— Qu'est-ce que c'est? Un exercice d'évacuation?

— On dirait plutôt une alerte à la bombe, murmure Katerie à l'oreille de Marilyne.

Madame Daigle saisit son sac.

— Rendez-vous à la grande salle. Laissez tout ça tel quel.

— Est-ce qu'on va revenir? demande Marilyne à l'enseignante en sortant.

— Qui sait? Chanceuse comme je suis, je vais devoir vous supporter tout le reste de l'avant-midi.

Madame Daigle sourit.

— Dépêchez-vous. Nous n'avons pas beaucoup de temps.

* * *

La grande salle est pleine. Des chuchotements se font entendre pendant que les filles s'assoient. Quelque trois cents chaises en bois grincent sur le plancher verni dont les lattes gémissent en signe de protestation.

Cet endroit d'une autre époque, c'est le collège Sainte-Bénédicte. Là où l'on peut voir sur les murs les photos d'anciens enseignants et directrices. Là où, sur d'élégants parchemins accrochés aux murs, on souligne l'excellence d'anciennes élèves. Là où l'on retrouve les noms et les fantômes de ceux qui ont fait l'histoire du collège, qu'ils aient brillé par leurs exploits ou qu'ils n'aient laissé aucune autre trace de leur passage.

Une autre vient de joindre leurs rangs. L'histoire continue…

Les filles sont agitées et regardent partout autour d'elles. Les enseignants ont pris place sur des chaises sur l'estrade et attendent madame Longpré. C'est un moment très important; les enseignants sont visiblement secoués et ont l'air très sérieux. Ils ne chuchotent même pas. Une atmosphère exceptionnellement grave a envahi Sainte-Bénédicte.

Alexie touche l'épaule de Marilyne, qui est assise dans la rangée devant.

— Qu'est-ce qui se passe, d'après toi?

Marilyne ne se retourne pas.

— Je ne sais pas. C'est peut-être une affaire de drogue. Toute l'école est là. Même le personnel du pensionnat.

Alexie jette un coup d'œil derrière elle et aperçoit les employés de la cafétéria au fond de la salle. Ils paraissent tous mal à l'aise; ils n'ont pas l'habitude d'être conviés aux réunions de Sainte-Bénédicte. Même monsieur Brouillard est là, vêtu de son affreux veston brun, les mains plaquées de chaque côté de lui comme un militaire au cours d'une revue. Il a l'air morne et revêche, comme s'il se croyait obligé de faire honneur à son nom. Madame Daigle éternue d'un côté de la scène, sous les lourds rideaux rouges qui datent de Mathusalem. Ils tombent en courbes gracieuses de velours rouge et de brocart doré, véritables parures dignes d'un roi. On a allumé les lumières en cette journée pluvieuse et on croirait que la scène et les enseignants font partie d'un décor de théâtre. Il ne manque plus que la vedette, l'étoile de la pièce. On attend madame Longpré.

Elle entre, brillant de tous ses feux. La directrice jette un regard dans la salle, mais elle est étrangement distante, comme si elle avait l'esprit ailleurs. Elle fixe le plancher. Un homme l'accompagne ; il est grand et porte un long manteau beige déboutonné jusqu'à la taille. Ses cheveux gris sont lissés vers l'arrière sur son crâne dégarni. Il a le visage long et bronzé. Toutes les élèves se lèvent. Les enseignants en font autant (sauf madame Fluet, qui souffre d'arthrite). Un silence de mort plane sur la salle. Les pas de madame Longpré résonnent jusqu'au moment où elle prend place derrière le bureau. Elle pose ses papiers et se retourne pour placer sa chaise.

— Assoyez-vous.

Mais la directrice reste debout. Elle contourne son bureau, puis s'avance au bord de la scène.

L'homme au long manteau la regarde comme si elle était Dieu le Père. Madame Longpré ne perd pas de temps, elle promène son regard bleu sur l'assistance et dit :

— Je dois vous apprendre une bien triste nouvelle. Mademoiselle Savage, la nouvelle professeure d'anglais, a eu un accident. Elle nous a quittés…

— Elle est partie, souffle Katerie.

— Elle s'est noyée dans le lac Émeraude, où l'on a retrouvé son corps il y a moins d'une heure. Je n'ai pas besoin de vous dire à quel point cette nouvelle nous attriste. Cette terrible tragédie…

L'assistance est toujours silencieuse, incapable d'encaisser le coup. Les professeurs ne meurent pas ; ils vieillissent et grisonnent. Ils ont le feu sacré, la vivacité d'esprit, le talent. C'est sûrement une erreur.

Mais il n'y a pas d'erreur. Les élèves n'ont qu'à regarder le visage des enseignants sur la scène pour comprendre que c'est bien vrai. Claudine Savage s'est noyée, à deux pas d'ici. Les filles de cinquième secondaire sont atterrées. Encore jeune pourtant, la directrice semble vieillir d'un seul coup, là, sur la scène : ses cheveux blonds paraissent gris et ternes, et ses rides, plus profondes. On dirait qu'elle vient de perdre sa toute-puissance et de redevenir une personne normale. Elle lève une main pour contenir la vague de murmures qui se forme et qui balaie la vieille salle.

La rumeur s'évanouit lorsque la directrice regarde autour d'elle et porte une main à son visage, comme si elle était à court de mots.

— Une nouvelle de ce genre est toujours un choc, mais nous devons l'accepter avec dignité.

Madame Longpré prend une grande inspiration.

— En d'autres circonstances, nous vous aurions appris la nouvelle en classe, tout simplement. Mais dans un cas de mort accidentelle comme celui-ci, il y a d'autres facteurs à prendre en considération. Ce policier voudrait vous parler.

Elle jette un coup d'œil vers l'homme debout près du bureau.

— Il y a d'autres policiers dans l'école. Si vous êtes au courant de quoi que ce soit qui peut faire avancer l'enquête, je vous prie de leur en faire part. En attendant, les cours sont annulés jusqu'à cet après-midi. Vendredi, il y aura une messe à la chapelle de l'école à quatorze heures.

Madame Longpré quitte la scène dans le silence absolu. Tous les yeux sont rivés sur le policier, qui enlève son manteau et le pose sur le dossier d'une chaise.

— Je suis le capitaine Blouin...

Chapitre 3

La sonnerie se fait entendre dans la cour d'école. Malgré la pluie, les élèves n'ont pas très envie d'entrer, car la mort hante maintenant les murs de Sainte-Bénédicte. Au loin, les eaux tranquilles du lac attirent leur regard. Réunies en petits groupes, les filles tentent d'élucider le mystère qui entoure la mort de mademoiselle Savage. Certaines croient à un suicide, d'autres à une chute pendant une promenade au clair de lune. Personne ne la connaissait très bien, car c'était sa première année à Sainte-Bénédicte. Pourtant, les élèves ont toutes été conquises par son charme. C'était une petite brune aux yeux en amande et au rire léger comme des papillons.

Les filles ont du mal à l'imaginer maintenant qu'elles savent comment elle est morte. Elles voient les algues qui effleurent ses yeux en amande. Elles sentent le souffle glacial de la mort.

— Je l'aimais bien, dit Maxine.

Venant d'elle, c'est un commentaire très généreux,

car Maxine est snob et n'aime pas grand monde.

— Je me demande qui va la remplacer, ajoute-t-elle.

— Comment peux-tu déjà parler de la remplacer ? s'écrie Alexie. Mademoiselle Savage est morte hier soir ! J'ai même fait un cauchemar…

— Mais on ne peut pas la ramener. Elle est bel et bien morte.

— Tu n'as pas de cœur !

Maxine hausse les épaules.

— Je suis rationnelle, c'est tout.

Alexie se dirige vers un petit groupe de filles dans un coin de la cour. Marilyne et Katerie sont là ; Suzie tourne autour d'elles, comme d'habitude.

Maxine est la meilleure amie d'Alexie, mais elle se montre parfois insupportable. Elle peut être distante et détachée, uniquement centrée sur ses propres désirs. Elle est mince et élégante et on a du mal à croire qu'elle agit souvent comme une enfant. Maxine est d'humeur changeante ; elle peut même être méprisante. Elle a aussi une vilaine tendance à la jalousie. Il lui arrive de faire semblant de ne pas voir quelqu'un. Pourtant, elle n'est jamais bien loin d'Alexie. L'amitié solide qui les lie leur est précieuse dans les moments difficiles et finit toujours par les rapprocher quand elles s'éloignent l'une de l'autre. De toutes les amies qu'Alexie a eues, c'est Maxine qui vient en tête de liste.

Ce qui ne l'empêche pas d'être insupportable.

Alexie donne un coup de coude à Katerie.

— Tu ne dis rien, toi ? Tu l'aimais, mademoiselle Savage ?

Katerie regarde le lac fixement et soupire. Elle rejette ses cheveux ébouriffés en arrière.

— Ce n'était pas un suicide…

* * *

— Qu'est-ce que tu veux dire ? demande Alexie quand elle se retrouve seule avec Katerie. Comment peux-tu le savoir ?

— Je l'ai vue au bord du lac. Je prenais un raccourci pour aller au centre équestre.

— Quoi ? En plein milieu de la nuit ?

Katerie fait signe que oui, l'air sérieux.

— J'avais un rendez-vous.

— Quel genre de rendez-vous ?

— D'amour, je dirais. J'allais rejoindre quelqu'un.

— Un homme ?

— Pas un éléphant !

Elles sont dans le jardin. C'est la fin de l'après-midi. La pluie a cessé et a fait place au soleil d'automne. Les deux amies sont assises sur un banc.

— Qui c'était ?

Alexie est stupéfaite. C'est comme si le monde venait de changer, là, sous ses yeux. Katerie est allée rejoindre un homme pendant que mademoiselle Savage se noyait ! La vie nous réserve des surprises à chaque tournant. Et qu'est-ce qu'elle faisait, elle, pendant ce temps ? Elle était dans sa chambre et rêvait.

— Alors ?

— C'était Dany, l'employé du centre équestre. Celui que madame Longpré a engagé pour donner un coup de main au concierge.

— Mais c'est lui qui a trouvé mademoiselle Savage !

— Je sais. C'est bizarre.

— As-tu couché avec lui ?

Katerie se met à rire.

— Qu'est-ce que ça vient faire là-dedans ?

— Ça…

Alexie secoue la tête.

— Ça me paraît évident. Tu es allée rejoindre un garçon, tard le soir. Tu as sûrement couché avec lui. Comment c'était ?

— Il ne s'est rien passé. C'était seulement la deuxième fois qu'on se voyait, explique Katerie. On a marché et jasé.

— Et c'est tout ?

Alexie est un peu déçue. Ce n'est pas très intéressant, après tout. Ou peut-être que ça l'est. Dany lui plaît beaucoup, à elle aussi. Tant mieux si Katerie n'a pas couché avec lui.

— Mais tu l'as embrassé ?

— Oui, on s'est embrassés.

— Puis tu as vu mademoiselle Savage.

— Non. C'était avant d'aller rejoindre Dany. Je contournais le lac et j'ai aperçu mademoiselle Savage et monsieur Chartier qui discutaient.

« Elle a vu monsieur Chartier ? » se dit Alexie.

C'est le professeur de français. Qu'est-ce qu'il faisait là?

— Quelle heure était-il? demande-t-elle.

— À peu près vingt-deux heures trente, répond Katerie.

— Et il était avec mademoiselle Savage?

— Ça été le coup de foudre à la rentrée! Tu es complètement aveugle. Ils ne se quittaient pas d'une semelle. Ça sautait aux yeux.

Alexie s'adosse au banc et soupire.

— Eh bien! moi, je n'ai rien vu!

— Tu es vraiment naïve, dit Katerie.

Elle fouille dans la poche de son manteau et trouve des pastilles de menthe. Elles sont là depuis longtemps et sont couvertes de peluches. Katerie essaie de les nettoyer. Deux élèves plus jeunes passent devant elles d'un pas nonchalant en se dirigeant vers l'école.

C'est le mois d'octobre et les feuilles commencent à tomber. Les champs tournent au brun sous le ciel de plomb. Les oies entreprennent leur long voyage vers le sud.

— C'était plutôt gênant, chuchote Katerie pensivement. Il l'engueulait comme du poisson pourri. Elle criait aussi et le traitait de tous les noms. Il a failli l'étrangler.

Katerie remet ses pastilles dans sa poche (elles ne sont pas très appétissantes) et rentre la tête dans les épaules, les mains enfouies au fond de ses poches. Elle plisse les yeux en regardant le soleil rougeâtre.

Son souffle forme de petits nuages blancs.

— C'était terrifiant, aussi. Je n'étais pas censée me trouver là et j'aurais eu des ennuis s'ils m'avaient aperçue. Alors je suis restée cachée dans les arbres jusqu'à ce qu'ils s'éloignent. Mais ils sont revenus.

Katerie laisse échapper un long soupir.

— Ils criaient très fort et j'ai essayé de me frayer un passage à travers les arbres pour me rendre au centre équestre. Mais je n'arrêtais pas de me retourner parce que monsieur Chartier avait un morceau de bois dans les mains et qu'il frappait un arbre avec. Je le voyais au clair de lune…

— Tu penses qu'il a tué mademoiselle Savage?

— Ce n'est pas ce que j'ai dit. Mais ils étaient là, monsieur Chartier était fou furieux et j'avais peur. D'après ce que j'ai compris, mademoiselle Savage ne voulait plus de lui. Ça l'a mis en colère et il l'a traitée de salope. C'est ridicule! Claudine Savage, une salope!

Alexie est assise sur le bord du banc, les mains jointes.

— Mais tu es en train d'insinuer que monsieur Chartier l'a tuée en la noyant dans le lac…

— Pour faire croire à un accident.

Le silence s'installe entre les deux amies. Tendues, elles restent assises sur le banc dans la roseraie humide. Le soleil couchant est chaud. Et pourtant, le froid les transperce.

Chapitre 4

Le soir, la gelée recouvre le sol. La lune se découpe sur le ciel noir comme jais. Encore plus sombre, le profil de l'école se dresse, comme un rempart.

Par les fenêtres du troisième étage de l'aile ouest, au-dessus de la cour déserte où se meurent les fleurs dans leurs plates-bandes, on aperçoit les lumières du pensionnat. C'est presque l'heure d'éteindre et les filles se relaxent avant d'aller au lit. Elles sont quatre dans chaque petite chambre, qui compte quatre lits et quatre commodes. Elles ont chacune leur garde-robe, mais c'est à peine si on peut y ranger un manteau.

Alexie est assise sur l'appui de la fenêtre de sa chambre et regarde dans la cour. Parfois elle lève les yeux pour contempler la pleine lune. Son visage délicat et pâle est préoccupé. Son regard sérieux se perd dans le vague.

Elle porte encore son uniforme, mais elle a perdu l'un de ses souliers noirs quand ses orteils ont effleuré le mur. Elle devrait avoir froid, mais elle est trop absorbée dans ses pensées.

— Tu viens à la salle de bains ? demande Marilyne.

— J'y suis déjà allée.

Alexie tourne la tête après que Marilyne est sortie de la pièce. Maxine est partie chouchouter sa peau de pêche. Alexie reste seule avec Katerie, qui est déjà au lit.

— Qu'est-ce que tu vas faire ? demande Alexie.

— Je ne sais pas, dit Katerie en posant son livre.

— Il faut que tu le dises à quelqu'un. À la police ou à madame Longpré, au moins.

Katerie la dévisage.

— Et me faire renvoyer ? Tu sais comme le règlement est strict en ce qui concerne les rendez-vous avec des garçons. Il y a deux choses qu'on n'a pas le droit de faire : coucher avec les gars et prendre de la drogue. Si on nous surprend, on nous met dehors.

— Mais pas dans un cas comme ça, proteste Alexie. Tu n'as pas couché avec Dany.

Elle descend de l'appui de la fenêtre en glissant et vient s'agenouiller sur le lit de Katerie.

— Tu penses que la directrice va avaler ça ? On ne sort pas en cachette à minuit pour aller admirer les étoiles.

Katerie pose son livre sur le plancher.

— Tu te souviens de Marie-Pierre ? On l'a mise dehors parce qu'elle sortait avec des gars le soir.

Qu'est-ce qu'on ferait avec moi, tu penses? Dany a vingt-quatre ans.

— Écris une lettre, propose Alexie.

— On reconnaîtra mon écriture. De toute façon, ce sont des témoins que la police veut. Il va falloir que je raconte tout moi-même ou qu'on se taise pour toujours. Il faut garder le secret, Alex. On ne peut pas répandre une rumeur comme ça. Monsieur Chartier est peut-être innocent. Je t'ai raconté ça seulement parce que tu es ma meilleure amie.

— Je sais.

— Je suis sérieuse, Alex. Et si elle s'était vraiment suicidée ou si c'était un accident? On ne peut pas accuser monsieur Chartier. Tout le monde l'aime. Je ne peux pas l'imaginer en train de tuer mademoiselle Savage.

— Alors tu ne feras rien?

— Je ne sais plus. Je ne sais pas quoi faire. On se trompe peut-être complètement. Tu imagines le gâchis? On aurait l'air de quoi?

Les deux filles s'interrompent brusquement quand Maxine entre dans la chambre. Elle éponge ses cheveux mouillés à l'aide d'une serviette. Elle porte une chemise de nuit courte. Même en sortant de la douche, elle est d'une beauté à couper le souffle. La nature l'a vraiment choyée.

— Qu'est-ce que vous fabriquez? Vous avez l'air de comploter.

— On ne fait rien, répond Alexie en se levant.

Elle commence à se déshabiller tandis que

Maxine la regarde fixement… avec une pointe de jalousie.

* * *

Le lendemain matin, étrange coïncidence, Alexie a un cours de français. La classe est située dans l'aile ouest, directement sous les chambres. Alors que la plupart des locaux de l'aile ouest sont mornes et sombres, la classe de français est vaste et bien éclairée grâce à de grandes fenêtres. Il n'y fait pas chaud, cependant ; le système de chauffage est en panne et les vitres sont toutes givrées. Les filles sont assises et grelottent tandis que monsieur Chartier fait les cent pas pour se réchauffer.

Alexie le fixe du regard. Elle ne peut pas s'en empêcher. Elle n'entend pas sa voix, mais elle se contente d'observer son visage. A-t-il tué mademoiselle Savage ? Alexie ne peut pas croire qu'il l'a fait. Mais Katerie l'a vu menacer la jeune enseignante. Est-ce que ça signifie quelque chose ou est-ce que Katerie a inventé tout ça pour ajouter un peu de piquant à la tragédie ? Si Alexie parvient à croiser le regard de Jean Chartier, est-ce que ça dissipera ses doutes ?

Les choses paraissent bien différentes maintenant, dans la lumière crue du jour, où chaque heure qui passe efface peu à peu les soupçons. C'est difficile d'imaginer que, sous les traits de Jean Chartier, se cache le meurtrier de mademoiselle Savage. « Qu'il est séduisant ! » pense Alexie. Il lui plaît encore plus que Dany. Rien de bien étonnant là-dedans. Toutes les filles sont amoureuses de lui. Il est grand, brun, bronzé… Ses yeux sont si bruns… Comment se fait-il qu'il ne soit pas encore marié ? « Peut-être que c'est ça ! » se dit Alexie. Peut-être qu'il a demandé à mademoiselle Savage de l'épouser et qu'elle a refusé. Mais c'est peu probable. Elle vient d'arriver à l'école. Combien de temps faut-il avant de vraiment aimer quelqu'un ? Et monsieur Chartier ? Comment se sent-il maintenant que sa bien-aimée est morte et que c'est lui qui l'a tuée ?

— Alexie ?

Alex sursaute. Elle était perdue dans ses pensées.

— Je t'ai demandé de décrire le style de l'auteur dans l'extrait que nous venons de lire.

— Euh…

Alexie a la tête vide. Elle jette un coup d'œil sur son livre.

— Je pense que j'en ai manqué un petit bout.

— Un grand bout, dit monsieur Chartier.

Qu'est-ce qu'il veut dire par là ? Essaie-t-il de lui dire qu'il a lu dans ses pensées ? A-t-il perçu le doute que Katerie a semé dans son esprit ? À quel jeu joue-t-il ?

Mais monsieur Chartier lui sourit, ce qui la trouble encore davantage. Son sourire paraît sincère, comme toujours. Est-ce que cet air chaleureux peut cacher un cœur dur et froid ? Alexie en doute.

— Désolée, dit-elle. J'étais dans la lune.

Elle se redresse sur sa chaise et sourit à son tour.

«Laisse la police faire son travail.»

— De quel extrait est-il question? demande-t-elle.

* * *

— Qu'est-ce que vous aviez à sourire comme deux idiots? demande Maxine un peu plus tard.

— Oh! rien, répond Alex.

— Je pense qu'il t'a dans l'œil.

— Mais non.

— Je te le dis!

Maxine a l'air dégoûtée.

— C'est vraiment scandaleux. Tu lui fais les yeux doux devant toute la classe. La prochaine fois, je parie que tu vas t'étendre sur son bureau? Je trouve ça écœurant.

— Qu'est-ce qui te prend? demande Alex tandis qu'elles traversent la cour, les bras chargés de livres.

Elles marchent d'un pas rapide pour arriver avant que les nuages menaçants n'éclatent.

— Rien, répond Maxine d'un ton maussade. Seulement, je trouve ça vraiment répugnant de te voir lui faire de beaux yeux.

— Je ne lui faisais pas de beaux yeux, proteste Alex.

— Tu ne t'es pas vue!

Maxine tire la lourde porte d'un coup sec et entre dans le long couloir qui traverse presque tout le pavillon principal. Le parquet est en bois foncé et des tableaux sont accrochés aux murs en panneaux de boiserie.

— Tu as beaucoup changé, continue Maxine à voix basse pendant qu'elles se rendent à leur classe. Tu n'as plus de temps pour moi depuis que tu as plein de nouvelles amies.

— Qu'est-ce que tu racontes ?

— Katerie Saint-Onge et toi, par exemple, dit Maxine qui ralentit quand elles arrivent devant la classe de mathématiques. Vous êtes devenues des intimes.

— Seulement parce que je lui parle ?

— Vous pourriez vous marier, tant qu'à y être !

Maxine ouvre la porte d'une poussée et entre dans la petite classe où des filles bavardent, juchées sur leur pupitre.

— Je croyais que tu étais mon amie !

— Mais je le suis !

— Ça ne paraît pas.

La discussion s'arrête là, car madame Miller entre dans la classe dans un tourbillon de fanfreluches.

— Bonjour, les filles !

Chapitre 5

Comme la plupart de ses sautes d'humeur, la crise de jalousie de Maxine a été intense, mais de courte durée. Quand la fin de semaine arrive, tout est arrangé. Ce n'est pas vraiment la faute de Maxine. Elle a eu une enfance difficile. À la mort de ses parents, encore toute petite, elle a été recueillie et élevée par ses deux tantes. Ce n'était pas la situation idéale car, à l'époque, ses tantes étaient déjà dans la soixantaine. En fait, c'est déjà beau que Maxine s'en soit aussi bien tirée.

Le samedi matin, donc, Maxine a retrouvé sa bonne humeur. Elle est radieuse. De toutes les filles du collège Sainte-Bénédicte, Maxine est la plus belle et la plus élégante. Elle se joint à Katerie, Marilyne et Alex, qui se rendent au centre équestre. À Sainte-Bénédicte, les activités sportives font partie du programme scolaire. Certaines élèves font de l'escrime, d'autres de la natation ou de la danse. Mais Maxine et ses amies savent bien que les meilleures font de l'équitation…

Naturellement, Suzie Migneault traîne derrière elles, car c'est le seul groupe de filles qui la tolère. Et comme elles la méprisent, on peut imaginer comment les autres la traitent. La pauvre Suzie est désespérée : elle est incapable de se faire des amies. C'est comme ça. Elle a le don de faire fuir les gens.

Son apparence n'aide pas sa cause ; elle a un air de chien battu et elle est du genre pleurnicharde.

Les parents de Suzie sont pauvres et c'est une bourse d'excellence qui lui a permis de s'inscrire à Sainte-Bénédicte. Et comme les « bolles » ne sont pas très populaires… Alors Suzie suit les autres, essayant de se mêler à elles et riant de toutes leurs plaisanteries. Et ce qu'elle ressent, personne ne le sait vraiment, car personne ne lui parle…

* * *

Le centre équestre est situé à moins d'un kilomètre des hautes grilles en fer forgé du collège Sainte-Bénédicte, le long d'un petit sentier envahi par les mauvaises herbes et bordé de grands chênes. C'est un endroit qui donne la chair de poule lorsqu'on est seul à la tombée de la nuit, car il n'est éclairé que par deux pauvres lampadaires. Mais en groupe, par une journée d'automne ensoleillée, il n'y a pas grand-chose à craindre.

Les champs s'étendent de chaque côté du chemin. On peut y voir des lapins dans les tiges de blé que les moissonneuses ont laissées derrière elles. Des crécerelles volent dans le ciel. Des nuages couvrent le sommet des montagnes bleues au loin. C'est une journée paisible. Mais le sujet de conversation des filles est celui qui a captivé l'école pendant presque toute la semaine. Même si, selon les apparences, du moins, la mort de mademoiselle Savage a été élucidée…

— D'après ce qu'on m'a dit, commence Marilyne d'un ton assuré, et je le sais de source sûre, elle avait une vilaine ecchymose d'un côté du visage. La police croit qu'elle a pu glisser sur le quai, se heurter la tête contre un des pilotis et tomber dans le lac. Elle était probablement déjà sans connaissance avant même de tomber à l'eau.

— Heureusement, marmonne Alex.

Même si ça paraît un peu bizarre de pousser un soupir de soulagement en apprenant les circonstances de la mort de mademoiselle Savage, Alexie est soulagée de voir que monsieur Chartier n'est pas impliqué dans cette affaire.

— Mais ce que je veux savoir, dit Maxine, c'est ce qu'elle faisait là à une heure pareille. Il pleuvait à boire debout. Elle n'était pas folle, quand même ? On l'a vue pour la dernière fois au pavillon principal vers vingt-deux heures. Qu'est-ce qu'elle a fait ensuite ? Elle a décidé d'aller se promener au bord du lac à minuit ? Qu'est-ce qu'elle foutait là ?

— La police n'a pas pu l'interroger, tu sais.

Marilyne hausse les épaules, indifférente, et utilise sa cravache pour couper les orties qui poussent le long du sentier.

— En fait, dit Suzie calmement, l'histoire ne s'arrête pas là. J'ai surpris une conversation hier.

Elle se mord la lèvre, comme si elle regrettait déjà d'avoir parlé.

Les quatre filles se tournent vers elle. Suzie traîne toujours derrière. Elle n'est jamais bien loin, mais jamais tout à fait là non plus.

— Les policiers supposent qu'elle a glissé, même s'ils n'ont découvert aucun indice de sa chute sur le quai : aucun fragment de peau, aucune gouttelette de sang, ce qu'ils auraient pourtant dû trouver si elle était tombée sur un pilotis.

— Comment le sais-tu ? demande Marilyne.

Pour une fois dans sa vie, Suzie les tient en haleine.

— J'étais dans une classe et j'ai entendu deux policiers qui parlaient dans le couloir.

— Mais il pleuvait à verse la nuit où mademoiselle Savage est morte...

Suzie sourit et hausse les épaules.

— Ils auraient quand même dû trouver quelque chose.

Le silence s'installe tandis que les filles digèrent la nouvelle de Suzie.

— Tu parles d'un mystère, dit Maxine.

— La police a pourtant classé le dossier, conclut Suzie gaiement.

* * *

— Dany ?

Alex est dans une stalle avec Max, son cob gris de

quatre ans, et regarde Dany. Celui-ci lui tourne le dos tandis qu'il saisit les sangles de toile sous le cheval. La lumière est douce dans l'écurie qui baigne dans une atmosphère poussiéreuse couleur sépia. L'air chaud sent le cheval et la paille.

— Comment c'était quand tu l'as trouvée?

Dany s'arrête pendant un instant, puis attache une sangle. Ses cheveux cachent son visage et ses mains caressent la crinière de Max. Il recule d'un pas et la dévisage.

— Tu veux dire, de quoi elle avait l'air?

Alex fait signe que oui. Elle pense tout le temps à ça. À mademoiselle Savage dans les eaux du lac, à son corps raide et pâle, à son regard mortellement fixe.

— Était-elle froide et grise?

Dany la regarde droit dans les yeux.

— Tu ne devrais pas penser à ça.

«C'est lui qui l'a trouvée flottant dans les roseaux. Qui a vu son regard vide et senti l'odeur de la mort. C'est lui qui a couru avertir madame Longpré. Lui qui a touché son visage.»

— Je n'arrête pas d'y penser.

— Elle était très froide, dit Dany. Mais elle était morte depuis un bout de temps et il faisait froid. On aurait pu croire qu'elle dormait à poings fermés, sauf que ses yeux étaient grands ouverts et qu'elle flottait sur un lac.

Il se retourne pour déverrouiller la porte de la stalle et repousse le cheval qui fouine dans son cou.

Son visage est mince et bronzé, ses yeux sont noirs comme du charbon.

— J'ai essayé de la sortir de l'eau.

Dany est un gars mystérieux. Personne ne connaît son passé. Il travaille au centre équestre et donne un coup de main à Sainte-Bénédicte. Il aide monsieur Pothier, le vieux jardinier. C'est un peu l'homme à tout faire. Son teint foncé et ses longs cheveux bruns qui descendent sur sa nuque lui donnent un air de gitan. On dit de lui qu'il arrive à dresser un cheval rien qu'en le touchant. Il est mince, mais robuste.

— Tu avais rendez-vous avec Katerie?

Il se tourne vers Alexie et lui adresse un sourire timide, mais perçant, qui la touche en plein cœur. Alex en a presque le souffle coupé. Son pouls s'accélère.

— Katerie est bien jeune, dit Dany.

Alex expire doucement et se tourne vers son cheval. Elle lui caresse le cou et vérifie l'ajustement de la bride. Dans la stalle, l'air est lourd et étouffant.

— Et moi, est-ce que je suis trop jeune?

Elle sent la présence de Dany derrière elle, ainsi que le souffle du cheval dans son cou. Son cœur bat plus vite. Elle a du mal à croire qu'elle a osé lui poser cette question, avouant ainsi ses propres sentiments en oubliant ceux de Katerie. Mais plus que tout, elle espère qu'il l'aime aussi.

— Est-ce que je suis trop entreprenante?

Elle n'ose pas affronter le regard de Dany de peur

de s'être trompée. Pourtant, elle le sent qui s'approche et qui pose ses mains puissantes sur ses bras. Puis la voix de Katerie résonne.

— Es-tu prête ?

Le monde se remet à tourner lorsque Dany s'éloigne. Alex sent la rage lui déchirer le cœur. Elle n'a encore jamais embrassé un garçon, n'a jamais été enlacée.

— Ce n'est pas mon jour, soupire-t-elle.

* * *

— Alors, qu'est-ce que tu en penses ? chuchote Katerie une fois les lumières éteintes dans la chambre ce soir-là. Crois-tu qu'il m'aime encore ?

Rongée par la culpabilité, Alex est incapable de répondre.

— On n'est pas vraiment sortis ensemble, mais on dirait bien que je lui plais. Qu'en dis-tu ? demande Katerie en se redressant dans son lit. Tu dors ou quoi ?

— Non, je ne dors pas, murmure Alex.

— Moi non plus, souffle Maxine. De qui vous parlez ?

— De Dany Morissette.

— Oh ! le gars du centre équestre !

Il y a un léger bruissement quand Maxine s'assoit dans son lit, prête à bavarder pour un moment.

— Comment tu le trouves ? demande-t-elle.

— Pas mal beau. En fait, je suis folle de lui.

Alex roule sur le côté et regarde fixement par la petite ouverture entre les deux rideaux. Ils ne ferment jamais complètement, quoi qu'on fasse. C'est une nuit sans lune; derrière la vitre, c'est l'obscurité totale. On n'entend aucun bruit dehors. Seul le coup de fusil d'un braconnier déchire le silence.

Chapitre 6

Le lendemain matin, Alex est très silencieuse et elle a envie d'être seule. C'est dimanche. Les filles ont toute la journée devant elles, mais comme d'habitude, elles ne savent pas quoi faire. Alex décide d'aller faire une promenade. Elle a mis son manteau d'hiver et ne le regrette pas, car le temps est glacial. De petits nuages de fumée s'échappent de ses lèvres minces et pâles. Une épaisse gelée blanche couvre le sol dur comme le roc. Le gazon craque sous ses pas.

Alex a la tête qui tourne. Elle n'arrive pas à voir clair dans tout ça. En pensant à Dany, elle éprouve de la culpabilité, du désir, de la peur. Sans Katerie, elle n'aurait jamais eu le courage de lui avouer son attirance. Mais si Katerie a pu le faire, pourquoi pas elle ? Alex a parlé franchement pour que Dany sache ce qu'elle éprouve pour lui. Elle n'a rien planifié. C'est arrivé comme ça, naturellement. Mais comment réagira Katerie si Alex lui dit qu'elle croit que Dany est amoureux d'elle ? C'est une affaire délicate, mais Alex ne peut rien y changer. Car Dany lui plaît beaucoup et depuis longtemps, même si elle n'a jamais vraiment cru qu'elle avait la moindre chance avec lui. Elle se trompe peut-être complète-ment, mais elle a l'impression que Dany, lui aussi, ressent quelque chose pour elle.

Et Katerie dans tout ça? Va-t-elle leur offrir ses meilleurs vœux de bonheur? «Pour l'amour du ciel, Alex, qu'est-ce que tu vas faire?» Alex n'en a pas la moindre idée. Tout ce qu'elle veut, c'est Dany…

* * *

Alex marche vers le lac, comme tout le monde est porté à le faire en raison du terrain qui descend en pente. Le lac est parfaitement calme; aucun huard ne glisse à sa surface, aucun héron ne marche sur son rivage. Le soleil est éblouissant. Comme une sil-houette monochrome, la cime des arbres se découpe nettement sur le ciel sans nuages. Au loin s'élèvent les montagnes bleues.

Alex s'arrête et les regarde fixement. Les monta-gnes sont toujours bleues et elle n'arrive pas à com-prendre pourquoi. De quoi donc sont-elles faites? De minerai de fer? Quand il pleut, elles disparais-sent, comme si elles rentraient sous terre. Qui sont les gens qui vivent là-bas? Alex sent la présence de l'école derrière elle. On dirait une bête grise qui rumine, un monstre de pierre labourant le ciel de ses griffes. Alex sent chacune de ses pensées dirigée vers elle, chacun de ses yeux de verre se poser sur son dos.

Elle se retourne pour regarder l'école. Qui l'a bâtie ? Qui a construit ces toits, ces flèches, ces lanternes élancées ? Sainte-Bénédicte est un endroit sinistre, à l'architecture bâtarde. Qui a bien pu aimer ce collège ?

D'autres filles marchent dans la cour et Alex se retourne brusquement pour descendre vers le lac. Les roseaux gelés forment deux longues lignes minces sur l'eau. Les joncs agitent leurs pointes. Un renard glapit non loin de là.

Alex se tient sur le quai, les roseaux à sa droite, le lac argenté devant elle et le hangar à bateaux à sa gauche. Elle sent encore l'odeur des feuilles mortes que monsieur Pothier a fait brûler. Alex serre son manteau autour d'elle. Elle porte des gants bleus et a enroulé son écharpe de laine blanche autour de son cou. À grelotter comme ça en automne, elle ne passera sûrement pas l'hiver !

Alex plisse les yeux pour mieux voir malgré le soleil aveuglant. Elle aperçoit une silhouette qui regarde l'eau. L'homme ne semble pas se préoccuper du froid. Son long manteau beige est maintenu en arrière par ses mains enfouies dans les poches de son pantalon. Le veston de son complet gris est déboutonné, sa chemise remonte à la taille et sa cravate est légèrement de travers.

L'homme regarde l'eau comme s'il y avait laissé tomber quelque chose et cherchait la meilleure façon de récupérer l'objet. L'air rêveur, il ne semble pas se rendre compte qu'Alex l'observe. Mais tout à coup, sans avertissement, il s'adresse à elle.

— Il fait très froid, dit-il doucement. Un froid de canard. L'eau ne doit pas être chaude…

L'homme aux cheveux gris tourne son long visage vers elle et lui sourit chaleureusement. Il doit avoir quarante-sept ou quarante-huit ans. Ses yeux gris et très écartés lui donnent un air bienveillant.

— Est-ce qu'il y a des poissons là-dedans?

— Je ne sais pas, répond Alex. Je suppose.

Elle croise les bras pour se réchauffer et se dandine d'une jambe sur l'autre.

— Vous êtes le capitaine Blouin.

C'est à la fois une question et une affirmation.

— Et toi?

— Alexie.

Le capitaine hoche la tête comme s'il le savait déjà. C'est pourtant peu probable, compte tenu du nombre de filles à Sainte-Bénédicte.

— Vous avez congé le dimanche?

— C'est la journée la plus plate de la semaine. Y a pas grand-chose à faire.

Le capitaine acquiesce d'un air songeur, comme s'il comprenait. Il semble être le genre d'homme qui attire les confidences. Il ne parle pas beaucoup, mais il paraît à l'aise et ne brusque pas les gens.

— J'allais faire une promenade, dit Alex. J'ai besoin de me changer les idées.

Le capitaine sourit.

— Vous finissez par vous tomber sur les nerfs à force d'être toujours ensemble?

47

Alex sourit d'un air piteux.

— Un peu, je crois. Tout le monde a besoin d'être seul de temps en temps.

— Je comprends ce que tu veux dire, dit le capitaine Blouin en détournant lentement le regard.

Il pose les yeux sur le lac, comme s'il était préoccupé.

Alex suit son regard languissant et contemple les eaux froides et paisibles. C'est là qu'on a retrouvé mademoiselle Savage.

— Vous cherchez des indices? demande Alex.

— Des indices? répète le capitaine avec un sourire teinté de curiosité.

— Il paraît que vous auriez dû trouver des indices : des fragments de peau ou quelque chose du genre.

À contrecœur, elle jette un coup d'œil sur les pilotis de bois moussus.

Le capitaine Blouin hausse les épaules.

— Non. Nous croyons savoir ce qui s'est passé ce soir-là. Je suis seulement venu faire un petit tour avant de clore l'affaire. J'aime bien que tout soit réglé jusque dans les moindres détails. Mais c'est sans importance.

— Ça donne la chair de poule, dit Alex qui frissonne en regardant l'endroit où elle croit que mademoiselle Savage a pu tomber.

Le capitaine Blouin la prend par la taille et l'attire plus loin.

— Retournons à l'école.

Chapitre 7

La semaine qui suit se déroule sans incident. Le souvenir de mademoiselle Savage s'estompe peu à peu. À la fin de la semaine, on a du mal à croire que tout ça est vraiment arrivé. La vie a tôt fait de reprendre son cours normal, car on ne peut pas survivre avec des cauchemars dans la tête. C'est cette caractéristique qui permet à l'humanité de surmonter les tragédies.

Suzie Migneault connaît une semaine difficile, mais ce n'est pas inhabituel pour elle. C'est surtout Marilyne qui lui fait la vie dure. Marilyne la déteste. Pour les autres filles, c'est le train-train quotidien, avec son cortège de joies et de tracasseries. Maxine se désole de ses quelques boutons. Alex aperçoit deux hérissons. Les seins de Katerie semblent reprendre leur taille normale. Monsieur Chartier se met au jogging, ce qui donne envie à bien des filles d'en faire autant. Monsieur Brouillard est malade et manque deux jours de travail. Madame Daigle est prise d'un malaise. Madame Longpré change de coiffure.

Voilà à quoi ressemble la vie au collège Sainte-Bénédicte : c'est un endroit à part, un microcosme pour bien nantis. Tandis que le reste du monde continue à tourner, ici le temps semble s'arrêter.

Katerie a été agitée toute la semaine. Elle s'ennuie désespérément de Dany et rêve de plonger son regard dans le sien.

Elle ne sait pas ce qui la retient de sauter par-dessus la clôture et de courir vers le centre équestre. De son côté, Alex se morfond autant, mais elle ne peut pas le faire aussi ouvertement que Katerie. Elle doit cacher ses sentiments et découvre que la culpabilité et le mensonge ne font pas bon ménage.

Alex a un peu peur de retourner au centre équestre, ne sachant pas comment Dany réagira ni si Katerie soupçonnera quelque chose. Pourtant, elle meurt d'envie d'y aller. Pourquoi est-ce que c'est si compliqué ? Pourquoi Katerie ne tombe-t-elle pas malade ? Si seulement quelque chose pouvait lui arriver et la tenir à l'écart, rien que pour cette fois.

Mais quand le dimanche matin arrive (le cours du samedi a dû être remis à cause d'un concours hippique qui se déroule au centre), Katerie est en effervescence. Elle est incapable de rester assise. C'est à peine si elle arrive à se brosser les dents et à se maquiller.

Alex sent son cœur se serrer tandis qu'elle regarde son amie se préparer. Elle aussi a fait de son mieux pour paraître à son avantage. Elle a noué ses longs cheveux en se disant qu'elle aurait l'air plus âgée et elle a appliqué un peu de rose sur ses lèvres.

— Tu es prête ?

— Presque, répond Alex.

En fait, elle pourrait passer encore une heure à se préparer avant de se sentir tout à fait prête. Mais ce serait idiot de se présenter au centre équestre sur son trente et un aussi tôt le matin.

— On ferait mieux d'y aller, dit Katerie au moment où Alex pose son produit de maquillage en soupirant.

— Kat ! s'exclame Maxine. Il est seulement neuf heures trente ! On a le temps.

Katerie est au supplice.

— Mais je suis prête. On peut partir tout de suite et donner un coup de main au centre jusqu'à onze heures.

— Ou on peut simplement prendre notre temps comme d'habitude.

Maxine roule les yeux, saisit sa brosse et commence à brosser lentement ses cheveux noirs et brillants. Maxine met parfois un temps fou à se préparer et elle ne va sûrement pas se presser aujourd'hui.

La pauvre Katerie s'assoit, frustrée, au beau milieu du champ de bataille qu'est devenue leur chambre. Il y a des produits de maquillage et des vêtements partout. Mais Katerie n'arrive pas à rester tranquille et décide d'aller faire un tour. Alex sent la tension qui monte en elle. Elle verra Dany bientôt et c'est tout ce qui compte.

* * *

La pauvre Suzie Migneault ne se tient pas loin, se contentant d'observer les autres. Ses parents ne peuvent pas se permettre de lui offrir un cheval ni de payer pour des leçons d'équitation. Alors Suzie regarde les autres filles et les aide à se préparer.

Les filles ne sont pas insensibles à cette situation malheureuse, malgré toutes les choses qu'elles disent quand Suzie a le dos tourné. À moins de lui prêter leur cheval, il n'y a pas grand-chose qu'elles peuvent faire, si ce n'est de lui permettre de donner un coup de main. Mais à vrai dire, ça ne semble pas déranger beaucoup Suzie, même si les filles l'ont surprise en train de les regarder avec envie à quelques occasions. Si elles se donnaient la peine de déchiffrer les sentiments de Suzie, elles comprendraient à quel point c'est douloureux…

En ce matin fatidique, c'est au tour d'Alex d'être aidée par Suzie. Celle-ci est sur la pointe des pieds et démêle la crinière du cheval.

— Tu es bien silencieuse, fait-elle remarquer.

— J'ai plein de choses en tête.

— Tu as vu Katerie là-bas, collée à Dany comme une sangsue ?

— Il lui plaît peut-être.

— Sûrement, dit Suzie joyeusement en serrant la dernière courroie et en tirant sur les étriers. Max est vraiment un beau cheval.

Alex grimpe sur son dos.

— Oui, c'est vrai.

Elle guide Max vers la cour. Les fers neufs du

cheval gris résonnent sur le chemin pavé. Max s'ébroue comme s'il venait de se réveiller et n'était pas prêt à travailler. Alex attend les autres et observe le va-et-vient dans la cour animée. Le centre se dessine derrière eux, immense et noir. Le soleil brille. Les portes des stalles claquent.

— Salut ! Tu es prête ? demande Marilyne en selle sur son alezan, Souverain.

Elle contourne un tas d'articles de sellerie abandonné par terre. Alex fait de son mieux pour lui répondre, mais elle a du mal à détacher son regard de Dany, qui bavarde avec Katerie.

Il est à une trentaine de mètres d'elle, en pleine conversation. Il se tient là depuis tout à l'heure et pas une seule fois il n'a regardé dans la direction d'Alex. Katerie lui sourit, comme si elle était la femme de sa vie. Elle agite la main pour saluer Alex. Dany se retourne et l'aperçoit. Dès cet instant, son expression change. Son regard est plein de désir. Alex comprend que, malgré tous les efforts de Katerie pour conquérir Dany, c'est d'elle dont il est amoureux. Elle reste immobile sur son cheval tandis qu'un sourire tendre se dessine sur le visage de Dany. Ses yeux brûlants d'amour plongent dans les siens. Le souffle court, Alex sent son cœur battre comme un fou. Tout est silencieux autour d'elle.

Puis il vient vers elle, ses yeux bruns toujours rivés sur le visage d'Alex. Katerie observe la scène, perplexe. L'épaule de Dany effleure la jambe d'Alex lorsqu'il vérifie les sangles de Max.

— Tu es superbe, murmure-t-il.

Alex est incapable d'émettre un son. Sa voix se fige dans sa gorge. Elle sent son cœur qui cogne contre ses côtes.

— J'ai besoin de quelqu'un pour m'aider à brosser les chevaux, dit Dany.

— Je pourrais revenir plus tard, parvient à souffler Alex.

— J'aimerais bien.

— Hé ! Mais qu'est-ce qui se passe ? Je croyais qu'on avait payé notre leçon ?

La voix de Maxine les interrompt, mais sans méchanceté.

— On la fait, notre promenade ?

Dany recule d'un pas.

— Bonne chance ! Amusez-vous bien !

Les quatre chevaux se mettent en branle. Katerie reste un peu en arrière, essayant de comprendre ce qui vient de se passer. C'est comme si, tout à coup, le monde s'était mis à tourner dans l'autre sens quand Dany s'est éloigné. Elle ne sait pas pourquoi il l'a fait, mais elle se sent blessée de voir que ses sentiments pour elle ont changé.

Katerie regarde fixement le dos d'Alex devant elle et se demande ce que son amie a de plus qu'elle.

Pas très loin de là, Suzie Migneault a été témoin de la scène. Comme d'habitude, elle regarde partir les filles d'un air calme. Si elle souffre de ne pas être des leurs, elle ne le laisse jamais paraître…

Chapitre 8

Les filles tournent à gauche du centre équestre. Elles empruntent un sentier boueux qui mène à une ferme. L'un des chiens du centre marche sur leurs talons, la langue pendante. Il les accompagne souvent quand elles vont faire un tour. Il y a de la tension dans l'air, mais seule Alex sait pourquoi. Ses trois amies devinent bien qu'il s'est passé quelque chose, mais sans plus.

Dans un effort pour détendre l'atmosphère, Marilyne immobilise son cheval sur un chemin rocailleux qui sépare deux champs bordés d'une haie. Au loin, de la fumée monte en spirale d'un taillis touffu et sombre. Dans la haie, un faisan criaille.

— Dany a dit que ce serait une bonne idée d'échanger nos chevaux, dit Marilyne en tapotant le cou de Souverain.

— Pourquoi ? demande Maxine.

— Pour nous habituer à monter des chevaux différents. Il prétend qu'on devient paresseuses parce qu'on sait manier notre cheval, et qu'on devrait essayer d'autres montures.

Maxine hausse les épaules avec grâce.

— Moi, ça ne me dérange pas. Pour autant que je n'aie pas à monter le gros bêta de Katerie.

Les autres éclatent de rire et la tension se dissipe. Katerie a trop bon caractère pour rester fâchée longtemps. Elle se contente de rire et hausse les épaules. «Peut-être une autre fois. Peut-être avec quelqu'un d'autre», se dit-elle.

Les filles descendent toutes de leur cheval devant la grille qui s'ouvre sur le champ où elles ont l'habitude d'aller galoper. Les chevaux poussent et se bousculent. L'un d'eux écrase le pied de Maxine, qui pousse un petit cri. Les filles finissent par se décider : Katerie montera Max ; Alex, le vieux cheval de Katerie, tandis que Marilyne prendra Sultan. Maxine semble un peu vexée d'avoir à échanger Sultan contre l'alezan plutôt paresseux de Marilyne. Elle est également contrariée d'avoir fait l'échange avec Marilyne, et non avec Alexie, comme cela aurait dû se passer logiquement. Après tout, Alex et elle sont des amies intimes.

Encore la jalousie qui la ronge !

Mais avant que Maxine puisse protester, Katerie ouvre la grille, guide Max dans le champ et laisse entrer les autres. Elle referme la grille d'une poussée et s'apprête à se mettre en selle. Max recule d'un pas.

— Allez, viens, Max ! marmonne Katerie en faisant une nouvelle tentative.

Elle parvient à glisser son pied dans l'étrier. Max

semble un peu tendu et piaffe. Il regarde Katerie d'un œil nerveux.

— Qu'est-ce qu'il a ? demande Katerie en se hissant sur l'animal.

Elle a juste le temps d'inspirer brusquement avant que Max ne détale. Elle n'est pas encore en selle…

Le cheval est fou furieux ; il galope à toute allure. Personne ne l'a jamais vu courir aussi vite. Les autres chevaux paniquent et les filles ont du mal à les retenir. Max semble complètement dément tandis que Katerie s'accroche à son flanc. Il écarquille les yeux et l'écume s'échappe de sa bouche. Il tente de décocher des ruades tout en galopant. Katerie frôle le sol qui défile à toute vitesse tandis que Max grimpe la colline, en proie à une terrible rage dirigée contre Katerie. Le cheval n'a qu'une idée en tête : désarçonner Katerie, et la tuer s'il le faut.

Katerie le sent : ce cheval va lui casser le cou et lui broyer les os. Elle le voit dans ses yeux. Elle entend les autres filles qui l'appellent, mais elles sont tellement loin qu'elles ne peuvent rien pour elle. C'est une guerre entre elle et Max. Et c'est Max qui est en train de gagner.

Max va bientôt devoir sauter : il y a un rondin en travers du sentier en haut de la colline. D'habitude, les filles franchissent ce passage au trot. Mais Max fonce au grand galop. Il s'amène en trombe et fait un grand saut qui projette Katerie en l'air. Quand elle retombe sur le dos, elle se croit morte.

Des cris résonnent, puis tout devient noir.

Chapitre 9

C'est avec une émotion contenue que les filles ramènent leur monture au centre équestre. Katerie ne s'est pas tuée, mais il s'en est fallu de peu. Tout son corps lui fait mal et elle a les poumons en feu. Elle a l'impression d'être tombée d'un avion tandis qu'elle avance en boitant sur le petit chemin.

— Mais qu'est-ce qui s'est passé? demande Dany qui court au-devant d'elles.

— Max est devenu fou, explique Maxine. Il est parti au galop et on a eu toutes les misères du monde à le rattraper. Il piaffait et il a essayé de nous mordre.

— Qu'est-ce qu'il avait?

— Je ne sais pas, répond Alex en soutenant Katerie.

Celle-ci semble sur le point de s'effondrer au beau milieu du sentier.

— Il n'était pas lui-même.

— Je pense que je vais vomir, marmonne Katerie.

— On ferait mieux de retourner au pensionnat, dit Dany.

Il soulève Katerie doucement dans ses bras et la porte jusqu'à sa vieille voiture garée sous un arbre.

— Vous feriez mieux de venir avec moi aussi. Mettez vos chevaux dans les stalles et laissez-les là pour le moment. Je m'occuperai d'eux tout à l'heure.

* * *

Ce n'est que plus tard en examinant Max que Dany découvre le bout de fil de fer barbelé coincé sous la selle.

Il le retire doucement du flanc ensanglanté de Max.

On ne peut pas blâmer le pauvre cheval.

Chapitre 10

Quant à la façon dont le fil s'est retrouvé là, on se perd en conjectures. L'hypothèse la plus plausible est que Max a pu s'accrocher dans la clôture avant que Katerie lui fasse franchir la grille. Ça n'explique pas tout, cependant ; mais comme Katerie est encore en état de choc, on se contente de cette explication. Tout le monde est soulagé que Katerie s'en soit tirée avec seulement quelques coupures et quelques ecchymoses. Elle est ébranlée mais elle n'en mourra pas, comme elle l'a cru quand elle se cramponnait à Max.

L'infirmière de l'école, Françoise Falardeau, l'a examinée dans la minuscule infirmerie. Cette femme est bâtie comme une armoire à glace. Elle a l'air d'un homme, avec sa moustache et ses mains qui ressemblent à des pelles. Elle a déclaré que Katerie n'avait rien de cassé, qu'elle s'en remettrait et n'avait pas besoin d'aller à l'hôpital. Mais Katerie se sent très faible et passe le reste de la journée affalée dans un fauteuil.

Elle ne manque pas grand-chose. Dans l'après-midi, le temps devient gris et amène des orages qui éclatent sans prévenir. À la fin de l'après-midi, il fait déjà noir comme chez le loup et toute l'école frissonne…

Quelques minutes avant minuit, la pluie fouette toujours contre les fenêtres du collège Sainte-Bénédicte. Malgré tout, l'école est endormie. Les classes obscures ressemblent à des mausolées déserts. Sur les bureaux, les manuels scolaires sont encore ouverts, comme s'ils se lisaient eux-mêmes. Les grands tableaux noirs, eux, prêchent en solitaire.

Au troisième étage de l'aile ouest où sont endormies les filles, les lumières fluorescentes de la salle de bains sont le seul signe de vie dans la nuit. Située au bout d'un long couloir, la salle de bains se trouve à une vingtaine de mètres de la chambre que Katerie partage avec ses amies. La lumière émane du cadre de la porte et dessine des vrilles pâles sur les murs.

À l'intérieur de la pièce au plancher blanc carrelé, Katerie se délecte dans la baignoire. Elle devrait déjà être au lit, mais on lui a donné une permission spéciale compte tenu de sa mésaventure. C'est un privilège que lui a accordé monsieur Chartier, l'enseignant de service pour la soirée. Katerie a donc rempli la baignoire et y a vidé tous ses restes de bain moussant. Maintenant, elle se prélasse dans l'eau chaude et parfumée. C'est un véritable bonheur d'entendre le vent souffler dehors tout en se plongeant jusqu'au menton dans une montagne de mousse. Les bras de Katerie pendent de chaque côté de la baignoire et le tremblement des vitres la rassure.

Elle a les yeux fermés et ses douleurs diminuent à mesure que l'eau apaise ses courbatures. Elle ne peut s'empêcher de penser au fil de fer barbelé qui a fait qu'elle soit dans cet état. Comment s'est-il retrouvé là? Qui est le coupable? Est-ce que c'est à elle qu'on a voulu s'en prendre ou à Alex? Ces questions se bousculent dans son esprit lorsque la porte s'ouvre dans un craquement...

Katerie ne se retourne pas en entendant les pas sur le carrelage; il doit s'agir de l'une des filles qui vient s'assurer que tout va bien. Fort probablement Alexie, qui a semblé la plus inquiète.

— C'est toi, Alex?

Pas de réponse. Une ombre apparaît sur le mur et un courant d'air glacial s'engouffre dans la pièce. Les bulles chuintent à la surface de la mousse. Un frisson parcourt les bras de Katerie. Elle s'efforce de s'asseoir tout en essuyant la sueur sur son front. Elle tend la main pour saisir la serviette orange qu'elle a accrochée derrière la porte. Elle s'apprête à s'essuyer le visage lorsqu'une main meurtrière se pose sur elle et lui coupe le souffle.

Katerie se met à crier en faisant voler des nuages de mousse. Elle réveille toute l'aile ouest avec ses hurlements, qui étouffent même ceux de la tempête. Il semble que ses derniers mots soient: «Au secours!» Mais personne ne peut venir au secours de Katerie, déjà électrocutée. Tuée par son propre séchoir à cheveux tombé dans la baignoire. Et ne se doutant de rien, tous concluent à un accident stupide et tragique.

Ce n'est que plus tard, beaucoup plus tard, que les rumeurs de meurtre commenceront à circuler. En attendant, Sainte-Bénédicte est plongé dans le deuil…

Chapitre 11

«Katerie est morte. Morte à cause d'un accident. Et je suis toute seule.»

Alex n'arrive pas à le croire. Elle n'y comprend rien. Les mots de la prière de ce matin résonnent dans sa tête: «Et je suis loin de chez moi.»

«Loin de chez moi», pense Alex. Toute seule. Loin de la maison qu'elle aime et des choses qu'elle connaît. Où sont donc son père et sa mère? Où est le stupide chat, les affiches sur les murs de sa chambre?

«Je suis loin de chez moi. Et je suis toute seule.»

C'est tout simplement impossible. Même si madame Longpré, accompagnée de monsieur Chartier, est venue leur annoncer la terrible nouvelle, les yeux rougis et bouffis…

«Je me sens si loin de chez moi.»

Voilà ce que disait la prière. Et quoi d'autre encore? Alex tente de s'en souvenir…

«La nuit est noire et je suis loin de chez moi. Guide-moi vers ta lumière…»

Mais qu'est-ce que ça veut dire? Qui va la guider? Est-ce de la mort dont on parle?

Bien sûr, les filles savaient toutes qu'il s'était passé quelque chose. On ne hurle pas comme ça à moins qu'il se passe quelque chose de très grave. Mais elles ont cru que Katerie avait été malade, qu'elle avait fait un cauchemar ou une chute. Elles n'ont jamais pensé qu'elle était morte. Même quand l'ambulance l'a emmenée, elles ont cru qu'elle s'en allait simplement à l'hôpital. On leur a dit de retourner se coucher, que tout allait bien.

Tout a bien été, en effet, jusqu'au moment où Alex s'est réveillée, à huit heures trente. « Huit heures trente? » se dit Alex.

On les a laissées faire la grasse matinée, ce qui est inhabituel. Tout est silencieux, comme si l'école était encore endormie. Les classes sont endormies, le système de chauffage est endormi, les enseignants sont endormis. Rien ne bouge. Même les oiseaux se taisent, refusant de faire entendre leur chant.

Puis madame Longpré arrive.

Normalement, elle ne vient jamais dans les chambres ni à la cafétéria. Les filles ne la voient qu'après le déjeuner, sur l'estrade de la grande salle où tous se réunissent pour la prière.

Et ses cheveux sont toujours si bien coiffés…

Ce matin, elle porte une robe noire toute simple et un foulard de soie. Son maquillage est si discret et parfait qu'on croirait qu'il a été fait par un professionnel. Mais en voyant son joli visage, on ne peut que remarquer ses yeux rougis, comme si elle les avait frottés. Monsieur Chartier se tient derrière elle. Il a l'air aussi secoué que la directrice. Non, encore plus secoué. Madame Longpré fait d'incommensurables efforts pour ne pas flancher, tandis que monsieur Chartier reste là, le visage ravagé par la douleur. Les filles ne l'ont jamais vu dans un tel état.

Et elles comprennent alors qu'il s'est produit quelque chose d'épouvantable. Quelque chose de si atrocement réel qu'elles n'ont pas envie de savoir.

Mais voilà que madame Longpré ne cesse de répéter qu'il y a eu un accident.

« Quel genre d'accident ? »

Katerie est morte dans la baignoire…

« C'est une blague, c'est… Ça ne se peut pas. »

Mais Katerie est bel et bien morte dans la baignoire. Elle a eu un accident. Toute seule et loin de chez elle.

* * *

Ce n'est qu'au moment de la réunion dans la grande salle qu'Alex saisit vraiment ce qui s'est passé. Katerie est réellement morte. On le sent dans l'air. On sent l'horreur, le chagrin, l'incrédulité. Au moment où quelques filles se mettent à pleurer et où la moitié de l'école se joint à elles, Alex comprend.

Les enseignants sont debout. Toutes les élèves se lèvent et Alex en fait autant lorsque madame Longpré entre dans la salle et monte sur l'estrade. La directrice paraît si brave et si seule. Tous les visages sont tournés vers elle. Dans un silence horriblement lourd, enseignants et élèves attendent ses premiers mots. Car si elle craque, tout le monde craquera. L'école doit maintenant survivre à deux tragédies. C'est sur madame Longpré que tous comptent, et elle ne les laisse pas tomber.

Elle parle très calmement, d'une voix si douce que c'est à peine si les élèves assises à l'arrière l'entendent.

— Cette école a comme tradition de se tenir debout dans le malheur. Nous ferons honneur à Katerie si nous respectons cette tradition en ne cédant pas à notre chagrin. Katerie est toujours dans nos cœurs et son âme courageuse rayonne à Sainte-Bénédicte. Nous la portons tous dans nos cœurs et à chaque mot que nous prononcerons, nous nous souviendrons d'elle...

Chapitre 12

« Je me souviendrai d'elle, pense Alex. Comment pourrais-je jamais l'oublier ? C'est ma faute si Dany l'a laissée tomber. C'est moi qui me suis dit que ce serait bien à propos si quelque chose lui arrivait. C'est mon cheval que Katerie montait ; il ne s'est pas emballé quand c'est moi qui étais sur son dos. Il n'y avait pas de clôture barbelée que Max aurait pu effleurer. On croira que c'est moi qui ai fait le coup. Je n'ai jamais souhaité ça, ce n'était pas mon idée. Je veux que Katerie revienne, avec ses rêves et ses espoirs. Je veux la voir entrer en coup de vent, les cheveux en bataille. »

Alex est dans une classe vide au bout du pavillon des sciences, tourmentée par le genre de pensées coupables qui viennent hanter les gens qui ont perdu un être cher.

Elle est assise à un pupitre en métal gris, les mains jointes pour les empêcher de trembler. Ses cheveux ébouriffés tombent sur son visage pâle et délicat. Des cernes se dessinent sous ses yeux.

« Je ne pourrai plus jamais vivre comme avant. Tout est fini. Ils m'ont abandonnée. Mes parents ne sont jamais là quand j'ai vraiment besoin d'eux. Je suis prisonnière à Sainte-Bénédicte. »

Au même moment, monsieur Chartier passe dans le couloir et jette un coup d'œil dans la classe. Il aperçoit Alex assise là, toute seule et bouleversée, et il entre pour la réconforter. Alex lève les yeux. On dirait bien que le professeur a besoin de réconfort, lui aussi. Il a les traits tirés et ses vêtements sont tout froissés. Mais il prend son courage à deux mains et sourit à Alex.

— Qu'est-ce que tu fais ici toute seule ?

Alex essaie de lui répondre, mais elle en est incapable. Elle n'arrive même pas à lui adresser un sourire forcé. Elle se contente de regarder monsieur Chartier qui traverse la classe et s'assoit en face d'elle.

— C'est très difficile, dit-il en enfouissant son visage dans ses mains. On ne sait pas quoi faire ni quoi dire dans un moment comme celui-là. Tu étais en train de penser à elle ?

Alex hoche la tête et sa lèvre inférieure frémit.

— Oui, je sais, dit monsieur Chartier. C'est très dur.

Sa voix est faible et lente, accablée de lassitude, et même s'il tente de se concentrer, son regard est perdu dans le vague.

— C'est normal, murmure le professeur. Il faut qu'on pense à elle. Sinon, ce serait comme si elle ne comptait pas…

— Mais elle comptait, dit Alex tout bas.

— Oui, bien sûr.

— Ça paraît tellement injuste, d'une certaine façon. Elle n'a rien fait de mal, elle n'a blessé personne. Tout le monde l'aimait…

— Et sa mort nous semble dénuée de sens.

Alex acquiesce.

— Oui, c'est ça. Dénuée de sens.

Monsieur Chartier l'examine avec inquiétude. Il a beaucoup de mal à trouver les mots pour apaiser la douleur d'Alex.

— Elle n'est pas dénuée de sens, parce qu'il n'y a que nous qui sommes tristes. Katerie n'a jamais été triste. Elle ne l'était pas non plus à la toute fin. Et elle ne souffre pas maintenant…

— On souffre pour elle.

— Exactement, dit monsieur Chartier. Mais Katerie a eu une vie heureuse et nous devons continuer en essayant de nous le rappeler.

— Mais elle est morte !

Alex tourne son visage vers lui et plonge son regard dans le sien, comme si elle cherchait des réponses.

— Alors qu'est-ce que ça veut dire, tout ça ? Est-ce que Dieu nous méprise tous ?

— Je ne sais pas, Alexie.

Il ne peut rien ajouter, car la mort est toujours pénible, mais rarement logique. C'est aussi dur pour lui d'accepter la mort de Katerie que ça l'est pour Alexie. Mais il doit faire quelque chose pour l'aider.

— Un jour, j'ai lu un livre qui parlait d'un homme dont la vie paraissait dénuée de sens, au premier abord. Il s'appelait Charles de Foucauld. C'était un Français, un officier, je crois. Au début du siècle, il a eu l'impression d'être en train de rater sa vie. Il s'est dit qu'il pourrait en faire autre chose pour aider les gens. Il s'est installé au Sahara, dans une caverne quelque part en Algérie, et il a commencé à accueillir des gens venus faire une retraite spirituelle. C'était son rêve de mener une vie qui apporterait quelque chose au monde. Et les gens venaient à lui, même s'ils ne restaient jamais longtemps et s'ils finissaient toujours par repartir.

Alex se retourne lorsqu'une porte claque. Mais tout redevient calme et silencieux.

— Puis un jour, il a été assassiné par une bande de voleurs, continue monsieur Chartier.

Alex ne s'attendait pas à ce genre de fin. Est-ce que cette histoire est censée lui remonter le moral? En tout cas, l'effet est raté.

— À ce moment-là, dit le professeur, on aurait eu du mal à trouver quelque chose de plus dénué de sens que la mort de cet homme. Mais environ dix ans après le meurtre, quand on a découvert son journal et ses écrits, d'autres gens se sont intéressés à la philosophie du père de Foucauld. Sa vision leur a apporté réconfort et inspiration, et a donné un nouveau sens à leur vie. Partout à travers le monde, des hommes et des femmes ont commencé à vivre selon ses principes. Aujourd'hui, sans tambour ni trom-

71

pette, ils travaillent dans les quartiers défavorisés des grandes villes pour aider les plus démunis. Alors peut-être que la mort de cet homme n'a pas été complètement dénuée de sens.

Alex le dévisage.

— Mais c'était un séchoir à cheveux. Un stupide séchoir à cheveux…

Chapitre 13

Plus tard ce jour-là, des rumeurs commencent à courir au sujet du soi-disant accident. Elles se propagent d'abord discrètement, comme c'est souvent le cas, et des choses à moitié inventées prennent forme dans l'esprit des gens. Au début, ce ne sont que des chuchotements, mais qui ont tôt fait de se transformer en un bavardage tapageur.

On a d'abord cru que Katerie, probablement légèrement commotionnée après sa chute de cheval, avait commis l'erreur fatale d'apporter son séchoir à cheveux dans la salle de bains. L'appareil était relié à une rallonge électrique branchée dans une prise du couloir. Elle avait dû avoir la mauvaise idée de se faire sécher les cheveux alors qu'elle était encore assise dans la baignoire…

Mais les rumeurs jettent le doute sur cette hypothèse. Tout commence avec Clermont, le concierge ; un homme qui, jusque-là, ne semblait pas faire autre chose que de vider les poubelles et replacer les chaises.

Clermont n'habite pas à l'école, mais à la campagne avec sa femme et les chiens qu'ils élèvent. Et c'est seulement à cause de l'orage qu'il est revenu à l'école tard ce soir-là. Car même s'il est du genre introverti et renfrogné, Clermont prend son travail au sérieux et ne néglige rien pour que tout soit en bon état...

La pluie cinglait les vitres et les portes claquaient tandis que Clermont s'efforçait de réparer une fuite qui avait inondé la salle des chaudières. Il s'était déjà plaint qu'il y avait souvent des fuites à l'école, et même si madame Longpré lui avait donné raison, rien n'avait encore été fait pour remédier à la situation. Clermont sacrait tout bas tandis que l'eau ruisselait dans son cou et tourbillonnait à ses pieds.

Il avait quitté la salle des chaudières pour aller vérifier les gouttières, scrutant les murs imposants du pavillon ouest dans l'obscurité. Il tenait une vieille lampe de poche dont la faible lueur n'arrivait pas à percer la nuit.

L'eau tombait en cascade des vieux murs de pierre de Sainte-Bénédicte. Le vent furieux s'en prenait aux vignes épaisses et aux fils du téléphone. Clermont avait failli perdre l'équilibre.

Il était vingt-trois heures passées et l'orage était au maximum de sa force. Les nuages s'empilaient comme des collines et se déversaient sur le monde. Le vent lui fouettait le visage et gonflait son blouson gris. Clermont avait les mains gelées.

Une branche de lierre était revenue brusquement

en arrière et lui avait cinglé le visage. En reculant d'un pas, Clermont avait laissé tomber sa lampe de poche. Il avait senti une lumière s'allumer au-dessus de sa tête en s'accroupissant pour la ramasser. Quelqu'un était entré dans la salle de bains du pensionnat. C'était l'heure où Katerie se trouvait dans la baignoire. Bien entendu, Clermont l'ignorait et avait rapidement détourné le regard. Il avait beaucoup à faire. Mais quelques minutes plus tard, alors qu'il tentait de localiser la fuite à l'aide de sa lampe de poche, il y avait eu un éclair dans le couloir du pensionnat. Clermont avait aussi aperçu une silhouette.

Il ne l'avait vue que pendant un court instant, mais encore une fois, cela ne signifiait absolument rien pour lui dans les circonstances.

Ce n'est que plus tard, après qu'on eut découvert Katerie morte, que Clermont y a repensé. Peut-être que Katerie n'était pas seule ce soir-là ; quelqu'un a pu se faufiler dans le couloir obscur et silencieux. Quelqu'un qui voulait que Katerie ressorte de la salle de bains…

… complètement refroidie…

Chapitre 14

La peur et la confusion engendrées par cette nouvelle hypothèse se manifestent de plusieurs façons. Quand Alex entre dans sa chambre ce soir-là, il y a de la dispute dans l'air. Marilyne est furieuse et c'est Suzie, sa bête noire, qui est l'objet de sa rage. Marilyne ne peut pas sentir Suzie Migneault et elle s'en prend à elle dès qu'elle en a l'occasion. Cela a peut-être quelque chose à voir avec leurs familles et leurs milieux ; Suzie semble très fière de sa famille, tandis que Marilyne délaisse la sienne. Quoi qu'il en soit, les filles ont les nerfs à fleur de peau et ça ne prend pas grand-chose pour faire éclater une querelle.

Suzie a entendu une rumeur (la deuxième de la journée) voulant que, juste avant de mourir, Katerie ait crié le nom de quelqu'un. Certaines disent que ce n'était pas clair, mais d'autres affirment que Katerie a crié : « Monsieur Chartier ! »

S'agissait-il d'un appel à l'aide ou d'une tentative pour éloigner le jeune enseignant ? C'est la source d'un débat passionné entre les filles. Quant à Marilyne, elle y voit l'occasion de se défouler en s'acharnant sur Suzie.

— Qu'est-ce que tu en sais ? commence-t-elle d'un air dédaigneux. Personne ne te parle parce que tu es une petite salope. Tu traînes toujours partout et si tu n'avais pas été là, Katerie ne serait peut-être même pas morte.

L'accusation prend Suzie au dépourvu. Comme Alex, elle ne sait pas trop où Marilyne veut en venir.

— Si tu n'avais pas été là, il n'y aurait jamais eu d'accident et Katerie n'aurait pas pris de bain.

— Qu'est-ce que tu racontes ? demande Suzie, perplexe, en tripotant ses lunettes et en s'efforçant de ne pas trop rougir.

— Je trouve pas mal curieux qu'un fil de fer barbelé se soit enfoncé dans le flanc de Max. Il n'y avait même pas de clôture barbelée aux alentours.

Voilà un fait qui a troublé plusieurs filles et Marilyne pense bien avoir résolu le mystère.

— Mais tu rôdais dans le coin et tu as aidé Alex à seller Max. Quelle étrange coïncidence !

— Mais pourquoi aurais-je fait ça ? demande Suzie qui recule en constatant que Marilyne semble prête à lui sauter dessus.

— Parce que tu es une petite salope et qu'on veut toutes ta peau. Et parce que Katerie était populaire.

— Alors je l'aurais fait à son cheval…

— Non, tu es trop rusée pour ça.

77

La voix de Marilyne est pleine de mépris. Elle continue à cracher son venin.

— Tu as probablement entendu Dany dire qu'on devrait échanger nos chevaux et tu as tout planifié en conséquence. C'est bizarre qu'il ne se soit rien passé quand on était sur le sentier. C'est arrivé dans le champ, quand Katerie a grimpé sur Max. J'ai tout compris : tu as mis le fil de fer barbelé en place quand Alex était déjà dessus. Max le sentait à peine et c'est seulement quand Katerie s'est hissée sur lui qu'il…

— Ah ! c'est ridicule !

— Ne me dis pas que je suis ridicule !

Marilyne s'élance pour la frapper.

Suzie bondit en arrière et atterrit sur le lit de Katerie.

Les yeux de Marilyne lancent des éclairs tandis qu'elle se rue vers Suzie.

— Ôte-toi de là ! siffle Marilyne. C'est ça que tu veux depuis le début ! Tu veux prendre la place de Katerie, espèce de petite crapule !

Marilyne est hors d'elle. De toute évidence, elle est prête à se battre. Si elle avait une arme à portée de la main, elle l'utiliserait. Elle est dans une colère folle.

— Je pourrais vraiment te tuer.

Sa voix est douce et faible, mais glaciale et tranchante comme une épée. Avec ses yeux flamboyants de rage et ses cheveux en désordre, Marilyne a l'air démente. Ses longues mains ressemblent à des griffes tandis qu'elle se prépare au combat. Elle halète et un peu de salive coule sur sa joue. Son chagrin s'est transformé en fureur.

— Vite, sors d'ici, murmure Alex à Suzie qui se fige, effrayée, à quelques pas de la porte. Sors tout de suite, Suzie !

Alex la pousse hors de la chambre et se tourne vers Marilyne.

Mais la colère de Marilyne disparaît aussi rapidement qu'elle est venue. Marilyne semble sur le point de s'effondrer. Elle est au bord des larmes et son visage devient d'une pâleur cadavérique.

— Katerie me manque tellement... gémit-elle.

* * *

Un peu plus tard, Alex va trouver Suzie, un peu inquiète. Cette dernière est dans le grenier, le repère secret que les filles ont découvert en faisant des recherches sur l'histoire de l'école. L'accès y est interdit, mais personne ne vient jamais vérifier si quelqu'un y est entré.

Le grenier regorge de souvenirs datant du long passé de Sainte-Bénédicte : boîtes de vieux dossiers, costumes de théâtre. Des livres piqués par l'humidité sont empilés contre un mur effrité. Il y a aussi un tas de chaises brisées, des armoires, de vieux pupitres.

La pièce sent le renfermé et les toiles d'araignées tapissent les murs. Une simple ampoule de faible intensité ne parvient pas à dissiper l'obscurité. Les madriers de bois usés craquent.

Suzie est assise sur un vieux coffre rempli de livres, l'air abattue. Elle semble si seule qu'Alex fond et lui touche le bras.

— Est-ce que ça va ? demande-t-elle en s'accroupissant devant elle.

Suzie hoche la tête.

— Oui, ça va. Je ne sais pas pourquoi elle est toujours sur mon dos. Je n'ai rien fait.

— Tu connais Marilyne, dit Alex. On a toutes des problèmes avec elle. C'est comme ça. Elle est très possessive et il ne faut pas s'approcher de ses affaires.

— Je n'étais pas près de ses affaires.

— Non, mais dans l'esprit de Marilyne, c'est déjà trop que tu sois là. La mort de Katerie l'a beaucoup affectée et elle a besoin de se défouler. Elle est très fragile.

— Moi aussi, et c'est ce que j'essayais de lui dire.

Suzie dévisage Alex, comme si elle cherchait son appui.

— Ce n'est pas moi qui ai mis le fil de fer barbelé sur Max, souffle-t-elle avec conviction.

Alex la croit. Instinctivement.

— Je sais que ce n'est pas toi.

— Qui a fait le coup, alors ?

— Je ne sais pas. C'était peut-être un accident.

— Comme le séchoir dans la baignoire et l'étrange noyade de mademoiselle Savage ? Et Katerie qui criait : « Monsieur Chartier ! » Je l'ai entendue, Alexie.

Ma chambre est à côté de la salle de bains. Je l'ai vraiment entendue crier. Je suis la seule à l'avoir entendue.

— Alors pourquoi tu n'as rien dit à la police ?

— Je voulais le faire, mais j'avais peur qu'on se moque de moi.

Suzie a l'air angoissée et son visage tremble.

— Et si elle n'avait pas crié ? Si j'avais rêvé ? J'ai cru que le cri de Katerie m'avait réveillée, mais c'est peut-être un cri dans mon rêve qui m'a tirée du sommeil.

Alex la regarde fixement, incapable de la réconforter. Le doute que Katerie a semé dans son esprit persiste.

Katerie avait dit : « Monsieur Chartier était fou furieux et j'avais peur. » Et s'il l'avait entendue ? Et si Katerie avait fait allusion à ce qu'elle avait vu ? Et s'il l'avait tuée ? Non, c'est impossible. Pas ici, à Sainte-Bénédicte…

— Je pense que tu devrais parler.

— C'est ce que j'ai essayé de faire, dit Suzie. J'ai cru que si je le racontais à tout le monde, ça finirait par venir aux oreilles de la police.

De fait, c'est ce qui s'est passé. Les filles ont été interrogées, mais l'enquête n'a pas progressé.

Chapitre 15

Dans une atmosphère aussi tendue et pleine d'émotions que celle qui règne à Sainte-Bénédicte, il est inévitable de voir de nouvelles rumeurs venir s'ajouter aux anciennes. À la fin de la journée, il court tellement de bruits qu'Alex en a la tête qui tourne.

Il faut qu'elle se change les idées et qu'elle trouve un peu de temps pour elle. Elle éprouve le besoin pressant de revoir Dany. Même si elle l'a vu travailler dans le jardin avec monsieur Pothier à quelques reprises, elle n'a pas encore pu lui parler. Le lendemain, elle profite de deux périodes libres dans l'après-midi pour s'esquiver. Ce n'est peut-être pas permis, mais Alex est beaucoup trop perturbée pour se préoccuper du règlement.

Il commence à pleuvoir au moment où elle arrive au centre. Il n'y a personne en vue et le bâtiment paraît dépouillé et lugubre. Les propriétaires sont partis en vacances dans le Sud et c'est Dany qui dirige l'école d'équitation en leur absence.

Sa voiture bleue est garée dans l'allée pavée, sous un arbre dont les feuilles jaunes commencent à tomber. Elle est maculée de boue sur les côtés.

Alex déboutonne son anorak en espérant que Dany ne la trouvera pas trop affreuse dans son uniforme. Elle n'a pas eu le temps de se changer.

Dany n'est pas dans sa roulotte verte, derrière le centre, ni dans la maison des propriétaires. Alex le trouve finalement dans la dernière stalle au bout de l'écurie, où il s'applique à brosser une jument.

— Salut, dit Alex.

Elle sourit à Dany qui se tourne vers elle, surpris. Sa présence la réconforte et le seul fait de voir son visage transforme sa journée. Dany pose sa brosse et s'approche de la porte de l'étable dont le vantail inférieur est juste à la bonne hauteur pour leur permettre de se faire les yeux doux. Dany a l'œil espiègle et, dans la pénombre, il paraît encore plus séduisant.

— Comment ça va ? demande-t-il d'une voix douce.

— Ça va, répond Alex. Malgré tout.

— Ça doit être dur pour toi.

— Oui. Et la semaine prochaine, il y aura les funérailles. Il y a bien des rumeurs qui circulent.

— Il y en a toujours dans des cas comme ça, soupire Dany. Les gens sont pris au dépourvu et ils ne savent pas comment réagir. Et que disent les rumeurs ?

— Que c'est monsieur Chartier, dit Alex. Qu'il les a tuées toutes les deux.

— Ça me surprendrait. Il n'a pas l'air d'un assassin.

— Et à quoi ça ressemble, un assassin ?

Dany hausse les épaules. Il ouvre la porte d'une poussée pour la laisser entrer. Quand il la referme, ils sont tout près l'un de l'autre. Alex le regarde dans les yeux, comme si elle sondait son âme...

— As-tu embrassé Katerie ?

Dany réfléchit pendant un long moment, comme s'il se demandait s'il doit répondre. Il finit par secouer la tête.

— Non, dit-il avec une vague tristesse. Jamais.

— C'est dommage. Cela aurait été très important pour elle, tu sais.

Alex se détourne et regarde le cheval.

— Plus personne ne l'embrassera maintenant.

Dany se tient derrière elle. Pendant plusieurs minutes, ils restent silencieux en pensant à Katerie. À ses yeux rieurs, à ses cheveux bouclés... À sa chute.

Dany pose soudain les mains sur les bras d'Alex. Il la fait pivoter vers lui dans la semi-obscurité de la stalle chaude. Durant un instant, ils se regardent dans les yeux. Puis Alex se jette dans ses bras. Ils s'embrassent avec avidité. Alex en a les jambes toutes molles. Le sang bat dans ses veines comme si son cœur allait éclater. Pourtant, elle est au bord des larmes. Elle pleure pour Katerie et pour elle à la fois. Pour la force de l'amour et la passion qui l'habitent. Jamais elle ne pourra être séparée de Dany. Elle est prête à tuer ou à mourir pour lui. Dany ne doit pas partir...

Chapitre 16

Le samedi matin, Alex décide d'aller en ville avec Maxine et Marilyne. Elles attendent l'autobus de l'autre côté des grilles en fer forgé de l'école, contemplant les champs qui s'étendent jusqu'aux montagnes. C'est une belle journée d'automne malgré l'air piquant.

Les filles n'ont pas beaucoup d'entrain. L'absence de Katerie se fait sentir.

— Hier, j'ai vu Suzie Migneault debout dans la salle de bains, dit Maxine.

Alex et Marilyne accueillent cette déclaration avec un long silence perplexe. En fait, ça semble leur être complètement indifférent.

— Et alors ? finit par demander Alex.

— La façon dont elle se tenait là… C'est comme si elle imaginait Katerie en train de mourir. Elle ne semblait même pas émue.

— Moi, je n'arrive même pas à regarder la porte, dit Marilyne en frissonnant.

— C'est ça qui est curieux. Elle était plantée là et regardait. Elle aurait dû avoir une réaction.

Elles aperçoivent l'autobus au loin, petite tache grisâtre qui étincelle au soleil.

— Suzie est une ordure qui devrait débarrasser le plancher… dit Marilyne avec calme.

* * *

Il y a beaucoup de monde en ville quand elles descendent de l'autobus et elles doivent attendre un bon moment avant de pouvoir traverser la rue. C'est comme si tous les gens des villages avoisinants s'étaient donné rendez-vous pour venir faire leurs courses.

Maxine veut qu'elles aillent chacune de leur côté, ce qui est inhabituel, et Alex la soupçonne d'être encore un peu jalouse. Car malgré l'assurance qu'elle affiche, Maxine est très anxieuse. Alex sait que Maxine s'est sentie trahie quand Katerie et elle sont devenues bonnes amies. Et même maintenant que Katerie n'est plus là, Maxine se montre encore distante. Elle ne lui a pas encore pardonné.

«Mais on a toutes nos petits problèmes», se dit Alex tandis qu'elles déambulent en admirant les vitrines des magasins de vêtements et de chaussures. Marilyne a sa paranoïa et son extrême possessivité qui l'amènent à dresser la liste de tous ses biens. C'est la seule fille de l'école qui fait une liste de tout ce qu'elle achète ou possède. Elle est tellement obsédée qu'elle se lève la nuit pour vérifier qu'elle a bien toutes ses affaires. Alex se dit que, comme Maxine, elle doit souffrir d'insécurité. C'est sa façon à elle de gérer sa vie au pensionnat.

Alex aussi a des problèmes. Lesquels ? Elle s'efforce d'y penser, d'établir mentalement la liste de ses défauts. Mais ce ne sont pas vraiment des défauts. Plutôt des traits de caractère. Et qui peut changer ça ?

Alex se sent souvent seule. Elle en fait des cauchemars. Elle manque aussi de confiance en elle. Est-ce que ce n'est pas de l'insécurité, ça aussi ? Ou est-elle réellement nulle ? Car pendant que les autres semblent très bien s'en sortir, elle est désespérée. Elle n'arrive pas à déterminer si c'est normal ou non. Ce n'est que récemment, depuis que Dany s'intéresse à elle, qu'elle a commencé à croire qu'elle vaut quelque chose. Et s'il fallait qu'on les sépare ou que Dany lui tourne le dos, elle ne sait pas si elle tiendrait le coup.

— Hé ! Tu es sur une autre planète ou quoi ?

— Désolée, Maxine. J'étais dans la lune.

— Je n'aurais jamais deviné. Je t'ai demandé si, à ton avis, ces chaussures vont bien avec ce manteau ?

— Quel manteau ? demande Alexie.

* * *

Un peu plus tard, une bande de gars réussissent à gâcher la journée des filles. Il existe une certaine rivalité entre les gars de la ville et les élèves de Sainte-Bénédicte. Elle se manifeste tantôt par des plaisanteries et des sarcasmes, tantôt par des regards de convoitise, quand ce n'est pas par de l'hostilité mal dissimulée. Les filles n'y portent pas attention la plupart du temps, à moins que l'un des gars soit particulièrement beau ou qu'elles soient d'humeur à *cruiser*. Mais aujourd'hui, alors qu'elles ne sont pas encore remises de la mort de Katerie, le moment est mal choisi.

Les gars sont assis à la terrasse d'une brasserie. Ils portent tous des jeans serrés et des chaussures *Doc Martens*. Ils ont peigné leurs cheveux gras vers l'arrière, mettant en évidence leur peau tout aussi grasse. Ils ont l'air de vrais idiots.

— Vous venez vous asseoir avec nous ? demande l'un d'eux en faisant mine de se lever par galanterie.

Les filles continuent leur chemin ; elles en ont vu d'autres.

— On vous a gardé des places !

Il doit s'agir d'une bonne blague, parce qu'ils sont tous pliés en deux.

— Allez, les filles ! On va pas vous mordre !

L'un d'eux s'est levé et marche vers elles en titubant.

— Hé ! Elles vont toutes à la même école ! s'écrie un autre. Celle qu'on appelle l'école de la mort !

Les trois filles restent clouées sur place en entendant ces mots, touchées en plein cœur. Maxine, surtout, le prend très mal. Elle pivote sur ses talons et dévisage celui qui a parlé.

— Hé ! Regardez ! Je lui plais !

Le gars sourit tandis que Maxine avance d'un pas.

— Qu'est-ce que tu as dit ? demande-t-elle.

— J'ai dit « l'école de la mort ».

— Tu te penses drôle ?

— En tout cas, c'est pas drôle pour ceux qui sortent de votre école les pieds devant.

L'atmosphère est tendue et les gars le sentent. Leur sourire se fige.

— J'ai dit « l'école de la mort ». C'est pas devenu votre spécialité là-bas ?

Maxine le transperce du regard.

— Tu te crois bien intelligent ? Tu penses que c'est brillant de faire étalage de ta stupidité ?

— Écoutez ça ! Elle me fait un sermon !

Le gars rit comme un fou tandis que Maxine bout de colère. Elle tremble de la tête aux pieds et retient des larmes de rage. Mais debout sur le trottoir, sous le regard des gens, elle reste muette et impuissante.

— Qu'est-ce qu'il y a ? demande le gars. Le chat t'a mangé la langue ?

— Je voudrais te voir mort, dit Maxine. Je voudrais que tu connaisses une mort horrible.

Pendant un moment, elle pense à le frapper. Mais la main d'Alex sur son bras la retient.

— Laisse tomber, Max, dit-elle. Ils n'en valent pas la peine.

— Non, on n'en vaut pas la peine ! hurlent les gars quand les trois amies s'éloignent. Parce qu'on n'est pas assez bons pour des filles chic comme vous !

Les mots résonnent dans leur tête tout le reste de la journée. Et tant pis pour le magasinage.

Chapitre 17

Peu après dix-neuf heures ce soir-là, d'une humeur songeuse et morose, Alex traverse la cour en direction du pavillon des enseignants, une pile de livres sous le bras. Elle a enroulé une écharpe rose autour de son cou. Le vent du nord lui pique les oreilles tandis que ses talons résonnent sur les pierres.

L'école a l'air sinistre. De grands murs étouffants s'élèvent comme des pierres tombales dans la nuit. On aperçoit des lumières aux fenêtres, mais ce n'est pas suffisant pour éclairer la cour.

Alex se rend au bureau de monsieur Chartier pour lui remettre des livres. Car malgré ses angoisses et ses doutes, Alex excelle au moins dans un domaine. Quand il est question de littérature, elle est la plus brillante de l'école. Elle en mange !

Monsieur Chartier l'encourage et lui prête souvent des romans, comme s'il était déterminé à en faire un génie de la littérature. Ce n'est que récemment que le doute dans l'esprit d'Alex a affecté leur relation. Car ce n'est un secret pour personne qu'Alex est le chou-

chou de monsieur Chartier. De toutes ses admiratrices (et il en a des tonnes), c'est Alex qu'il préfère.

De son côté, Alex ne lui voue plus la même admiration. En son for intérieur, elle sait bien que c'est de la folie de blâmer monsieur Chartier pour la mort de Katerie. Mais la confiance est une chose fragile, et un rien suffit pour l'ébranler. Elle a perdu sa meilleure amie et ça change tout…

* * *

Le pavillon se dresse parmi un massif de très vieux arbres, comme un manoir gothique. La majorité des enseignants habitent en ville ou dans les villages aux alentours, mais trois d'entre eux vivent à Sainte-Bénédicte.

Alex pousse la porte d'entrée principale et pénètre dans le vestibule. Elle grimpe l'escalier rapidement de peur d'être en retard. Cependant, monsieur Chartier n'est pas encore dans son bureau. Mais comme la porte est grande ouverte et que la pièce est éclairée, Alex décide d'entrer.

Il fait chaud dans le bureau du professeur; une bûche crépite dans le foyer. Une lampe est allumée sur le bureau et jette une lumière tamisée dans la pièce. Des ombres dansent sur les tableaux accrochés aux murs. Une étagère croule sous le poids des livres. Des chemises sont éparpillées sur le bureau. Deux stylos assortis reposent dans un porte-plumes. Un coupe-papier long et mince luit comme une épée miniature.

Alex saisit une chemise, mais ce n'est rien d'intéressant : seulement la liste des conférences auxquelles les enseignants peuvent assister. Une souricière à moitié camouflée par des livres attire son attention…

« Il doit y avoir des souris ici. »

De sous les livres dépasse le coin d'une feuille de papier bleu azur. C'est le genre de papier que Katerie utilisait quand elle écrivait à sa famille. Alex tire la feuille avec nonchalance.

C'est une lettre d'amour déchirante, écrite par Katerie de sa plus belle écriture, tout en boucles et en rondeurs. Katerie a laissé parler son cœur et confié ses sentiments les plus intimes à monsieur Chartier. Alex en frémit…

Mon cher Jean,

Il est presque minuit et je n'arrive pas à dormir, car je m'ennuie de toi. Je ne peux penser qu'à toi et à tout ce que tu représentes pour moi.

Ça fait maintenant plus de dix heures que je t'ai vu et pas une seconde ne s'est écoulée sans que j'imagine ton visage ou que je murmure ton nom. Je suis amoureuse de toi…

Enfin, je l'ai dit. Combien de fois ai-je répété ces mots sincères dans ma tête ? Je suis amoureuse de toi. Je t'aime, Jean. JE SUIS AMOUREUSE DE TOI.

Je t'aime tant que ça me fait mal en dedans. Et c'est si difficile de se parler avec

toutes les autres autour. Mais aujourd'hui,
quand je me tenais près de toi dans le couloir,
j'ai presque effleuré tes lèvres. J'ai tellement
envie d'être dans tes bras, Jean, et de sentir
tes mains sur ma peau. Je brûle de me donner
à toi. Je n'ai pas peur et je n'ai aucun doute.
Je meurs d'envie d'embrasser ton visage et de
goûter tes caresses.

Jean, j'aime te toucher, j'aime ton odeur.
Quand ta main a effleuré la mienne, j'ai failli
m'évanouir. J'ai eu l'impression d'avoir été
brûlée ou parcourue par un frisson de désir.
J'ai embrassé ma peau là où tu…

La lettre s'arrête là, au bas de la feuille, comme s'il manquait d'autres pages. Alex la relit, émue.

Elle entend la voix de Katerie qui prononce les mots. Katerie, désespérée, languissante, passionnée. Katerie, dont elle ignorait presque tout, y compris ses rencontres avec Dany. Alex ne savait rien de cet amour et elle n'a jamais soupçonné quoi que ce soit. Aujourd'hui, pourtant, elle tient dans sa main un plaidoyer touchant et désespéré pour un amour interdit.

Quand la lettre a-t-elle été écrite ? Est-ce que c'est récent ou s'il s'agit d'une vieille histoire ? Est-ce que Katerie avait des rendez-vous avec Jean Chartier, comme avec Dany ? Et pourquoi le professeur a-t-il gardé la lettre ?

Les pensées d'Alex tourbillonnent dans sa tête. Que faut-il conclure maintenant, sachant qu'il existait un lien entre Katerie et monsieur Jean Chartier, tout comme entre le jeune enseignant et la malheureuse mademoiselle Savage ?

Monsieur Chartier est-il allé au centre équestre dimanche matin, comme il en a souvent l'habitude ? A-t-il pu placer la selle de façon que le fil de fer barbelé ne blesse pas Max tout de suite ?

Mais il n'était pas au courant du changement de cheval. À moins que... Le sang d'Alex se glace quand l'idée lui vient que c'est elle qui était visée. C'est elle qui devait tomber de cheval. Et si elle avait pris un bain tard le soir pour soulager ses blessures, comme l'avait suggéré monsieur Chartier, serait-elle morte comme Katerie ?

Mais quel avantage en aurait-il retiré ? Quelle raison aurait-il eu de faire ça ? Alex fouille dans sa mémoire pour trouver un indice. Puis elle entend ses pas dans le vestibule. Elle glisse la lettre sous une chemise.

Le sourire aux lèvres, monsieur Chartier entre et se confond en excuses. Il a l'air d'avoir couru, car ses joues sont un peu rouges. Il fait le tour de son bureau et jette un coup d'œil sur ses affaires. Puis il lève les yeux vers Alex.

Elle respire avec difficulté tandis qu'il étudie son visage, et se demande s'il peut deviner qu'elle a lu la lettre de Katerie. Lui a-t-il tendu un piège ? S'apercevra-t-il que la lettre n'est plus au même endroit ?

— Et puis, qu'en dis-tu ? demande-t-il.

— Je... euh...

Alex est bloquée. Qu'est-ce qu'elle est censée dire ?

«Oui, j'ai lu la lettre et je trouve ça bien triste…»

— Je ne sais pas de quoi vous parlez.

Il désigne les mains d'Alex d'un signe de tête.

— Des livres, dit-il.

— Oh oui! Ils sont vraiment bons, dit-elle en les laissant tomber sur le bureau. Je les ai beaucoup aimés. Surtout celui d'Antonine Maillet, *Pélagie-la-Charrette*.[1]

Monsieur Chartier approuve d'un hochement de tête.

— Elle a gagné le prix Goncourt pour ce roman.

— Oui, je sais. En 1979. J'ai cherché son nom dans le dictionnaire.

Les yeux du professeur pétillent.

— Tu as vraiment la piqûre, toi.

Il s'empare du coupe-papier et le tapote distraitement.

— J'ai un autre livre pour toi. Où est-ce que je l'ai mis?

Il ouvre un tiroir.

— Ah oui! Il est ici, avec mes gants.

Il lui tend le livre.

— Je crois que tu vas l'aimer. C'est un roman d'Anne Hébert.

Alex jette un coup d'œil sur la couverture. *Kamouraska*.[2]

Une histoire d'amour déchirante, où la passion poussera un homme à tuer…

1. Antonine Maillet, Léméac, 1979.
2. Anne Hébert, éditions du Seuil, 1970.

Chapitre 18

Alex se hâte dans la cour déserte et obscure, heureuse de rentrer saine et sauve. Qu'est-ce que tout ça signifie? A-t-elle raison de soupçonner le professeur? Car même si elle est torturée par le doute, elle n'a pas la moindre preuve que cet homme en qui tout le monde a confiance a tué deux personnes.

Ça n'a pas de sens. Tous sont convaincus qu'il s'agit d'accidents. Qu'est-ce qui permet à Alex de croire qu'ils se trompent?

Elle a mal à la tête en songeant à l'affection qu'elle a déjà eue pour monsieur Chartier. Elle a été bien naïve de le trouver à son goût sans savoir quel genre d'homme il était.

Mais le croit-elle vraiment coupable, en son for intérieur?

Alex ne peut pas répondre à cette question, pour le moment du moins. Mais elle sait très bien qu'elle ne doit parler de ça à personne. Elle ne peut pas porter une accusation comme ça.

Elle retourne à sa chambre en serrant le livre contre elle. Elle le pose sur le lit, s'assoit et le regarde fixement.

— Qu'est-ce que c'est ? demande Marilyne.

Alex hausse les épaules.

— Un autre livre.

— C'est à monsieur Chartier ? Il te prête toujours ses livres. Pourquoi pas à nous ?

Marilyne saisit une serviette et la fourre dans son sac.

— Il ne m'en a jamais prêté, à moi. En tout cas. Je m'en vais au gymnase jouer au badminton. Ça te tente de venir regarder la partie ?

— Pas vraiment, non. Où est Maxine ?

— Je pense qu'elle est dans la baignoire.

Là où la mort a frappé il y a une semaine à peine...

Chapitre 19

En dépit des craintes et des doutes d'Alex, le cauchemar semble terminé à Sainte-Bénédicte. Il n'y a plus aucune autre mort suspecte, aucun autre accident d'équitation, aucune autre lettre d'amour tragique. L'enquête policière est terminée dans les deux cas.

Les couleurs chaudes de l'automne cèdent peu à peu la place à la grisaille du début de l'hiver. Le trimestre tire à sa fin à Sainte-Bénédicte, qui essaie tant bien que mal de reprendre la routine.

Cette année, l'hiver arrive tout d'un coup. La neige tombe à gros flocons, poussée par le vent. Les vitres et les arbres sont couverts de givre.

Clermont est à son poste presque vingt-quatre heures sur vingt-quatre. Alors que les conduites gelées menacent d'éclater, il travaille sans relâche pour sauver le vieil édifice. Du matin au soir, il court d'une pièce à l'autre, vérifiant une valve par-ci, une canalisation par-là.

Madame Robert, la pauvre secrétaire, se fracture la clavicule en tombant sur la glace. Madame Longpré, elle, tient bon. Le vent le plus furieux n'arrive pas à déplacer un seul de ses cheveux.

Les filles finissent par rentrer chez elles pour Noël, laissant derrière elles les mauvais souvenirs. Pourtant, au plus profond de la nuit, les cauchemars reviennent hanter certaines d'entre elles…

* * *

Alex rentre chez elle pour passer deux semaines de vacances avec ses parents. La veille de Noël, sa mère la trouve en larmes, seule dans sa chambre. Elle s'assoit avec sa fille et la serre dans ses bras tout en lui caressant les cheveux. Elle comprend. C'est le moment de pleurer.

Debout dans l'embrasure de la porte, le père d'Alex les observe sans trop savoir que faire. Il finit par se joindre à elles et, ensemble, ils pleurent à chaudes larmes.

Alex reprend ensuite contact avec ses vieilles copines et va au cinéma avec trois d'entre elles. Elles font la rencontre d'une bande de garçons qui les raccompagnent à la fin de la soirée. Dans le vestibule, sous le gui, Alex embrasse un adolescent maigrichon, Francis Marquette. Mais tandis qu'elle est dans ses bras, c'est à Dany qu'elle pense.

Elle n'arrive pas à l'oublier et lui écrit tous les jours. Dany lui répond et, de son écriture fine et gracieuse, lui raconte qu'il s'en est mis plein derrière la cravate à Noël et que les propriétaires du centre équestre l'ont invité à souper la veille du jour de l'An. Mais plus que tout, Dany s'ennuie d'Alex et compte les jours jusqu'à son retour. Alex garde ses lettres dans du papier de soie blanc et les cache sous son oreiller...

Chapitre 20

Maxine jette sa lourde valise sur le lit qui gémit sous le poids.

— Quel trajet! L'enfer! Ça nous a pris une éternité pour venir!

— Tu étais en auto? demande Alex en s'étirant sur son lit.

— Et je n'aurais pas dû. Je ne le referai plus. Pas en hiver, en tout cas.

Maxine enlève son foulard en soie et secoue ses cheveux noirs et souples.

— Ma débile de tante a engagé un chauffeur qui pue l'ail.

Elle s'empare d'une serviette et, la tête penchée d'un côté, éponge ses cheveux.

— Et toi, tu es venue comment?

— En autobus.

— Ça me surprend que les autobus roulent encore, dit Maxine en s'essuyant l'intérieur de l'oreille avec le coin de la serviette. L'état des routes est lamentable. Mon pauvre chauffeur n'a pas arrêté de sacrer pendant le trajet.

Elle laisse tomber la serviette sur le lit et secoue les épaules pour enlever son manteau. Celui-ci glisse sur le plancher et Maxine l'enjambe pour regarder dans sa garde-robe.

— Ils ont encore mis des boules à mites là-dedans. Est-ce que madame Longpré a des actions de la compagnie qui les fabrique ?

— Je ne pense pas que madame Longpré ait des actions de quelque compagnie que ce soit. Elle est trop raffinée.

— Ne va pas croire ça.

Maxine fait claquer la porte de la garde-robe et se tourne vers Alex.

— Savais-tu qu'elle va souvent en Espagne rejoindre son amant ? Elle y passe toutes ses vacances.

— Je ne te crois pas.

— C'est la vérité, je te jure. Il s'appelle Don José.

— Elle n'a pas d'amant !

— Elle en a toute une collection, insiste Maxine.

Alex bondit.

— Je sais que tu mens ! dit-elle en balançant son oreiller pour frapper Maxine sur la tête. Elle n'a pas d'amant parce qu'il y a un monsieur Longpré dans le décor ! De toute façon, sa passion, c'est l'école.

— Sainte-Bénédicte, priez pour nous !

Les deux filles se mettent à rire. Ce n'est pas si mal de revenir à l'école. Pas quand on y retrouve des amies qui en ont long à raconter.

Alex et Maxine rattrapent donc le temps perdu. Marilyne arrive à son tour, croulant sous les sacs.

Malheureusement, elle n'a pas grand-chose à raconter, son séjour dans sa famille (un peu bizarre, il faut le dire) ne lui ayant pas laissé de très bons souvenirs.

Et pendant que les trois amies bavardent, la neige continue à tomber, jusqu'à ce qu'un épais manteau blanc recouvre Sainte-Bénédicte…

* * *

Les cours reprennent le lendemain, comme si la mort n'avait jamais frappé. Madame Daigle a un rhume de cerveau et s'entête à disséquer des grenouilles congelées dans l'espoir, pourrait-on croire, d'y découvrir un médicament miracle.

— Les grenouilles sont des créatures très étranges, fait-elle remarquer de sa voix nasillarde. Ce sont les seuls animaux qu'on tue uniquement pour leurs cuisses…

Les filles la dévisagent toutes avant d'échanger des regards étonnés. Madame Daigle aussi est une étrange créature…

Madame Longpré, quant à elle, souffre d'un torticolis. Et la pauvre madame Robert entend toutes sortes de craquements dans sa clavicule en voie de guérison.

Tous les autres semblent en bonne santé, sauf monsieur Chartier, aux prises lui aussi avec un rhume. Pendant ses exposés, il tousse comme une vache asthmatique.

— Nous allons aborder la poésie québécoise,

marmonne-t-il. Il y a plusieurs poètes célèbres chez nous mais, pour le moment, nous allons nous concentrer sur Émile Nelligan.

Sa voix monte alors vertigineusement (aussi vertigineusement que possible compte tenu de son rhume).

— Et ne me dites pas que ce sera ennuyant ! dit-il en les considérant d'un air de défi.

Il remonte son pantalon (il a grandement besoin d'une ceinture) et, sans même jeter un coup d'œil au texte, commence à réciter un poème. Il ne fait pas face à la classe, mais regarde la neige fixement, comme hypnotisé…

Ah ! comme la neige a neigé !
Ma vitre est un jardin de givre.
Ah ! comme la neige a neigé !
Qu'est-ce que le spasme de vivre
À la douleur que j'ai, que j'ai ![3]

Et les poèmes mélancoliques de Nelligan se succèdent ainsi jusqu'à la fin du cours.

3. Émile Nelligan, *Poésies en version originale*, édition préparée par André Marquis, Triptyque, 1995.

Chapitre 21

Elle rêve d'une chute, du sol noir qui approche dangereusement et de son cri qui résonne dans la nuit.

Elle rêve du tonnerre et des éclairs, du fracas de sa chute, de l'éclatement de son cerveau qui s'échappe de ses os déformés pour aller choir dans la cour.

Elle rêve d'une mort dans un endroit très sombre, du silence d'une tombe, d'une rose entre ses dents...

Elle rêve d'une mort dans les bras de l'homme qu'elle aime, ses mains puissantes autour de son cou.

* * *

Alex se réveille en criant, couverte de sueur. Les draps forment un tas sur son lit et sa chemise de nuit est remontée autour de son cou. Alex se débat courageusement contre des mains invisibles.

C'est une nuit de silence absolu. Telle une forteresse, Sainte-Bénédicte dresse son profil noir et irrégulier sur le ciel neigeux.

Un chien hurle dans le champ ; sa plainte solitaire et monotone monte et descend, déchirant la nuit paisible.

Alex frissonne en replaçant ses draps et jette un regard vers le lit vide de Katerie de l'autre côté de la pièce. Maxine remue un peu. Marilyne soupire doucement.

Le calme est revenu.

Chapitre 22

Le lendemain matin, la tempête a cessé. Les nuages se dispersent comme des boules de ouate qui s'étirent, révélant peu à peu des coins de ciel bleu.

Le soleil est toujours caché, mais il prépare son entrée, attendant que tout soit en place. Les filles s'en vont faire de l'équitation et, au grand déplaisir de Marilyne, elles auront de la compagnie.

— La sangsue vient aussi, grogne Marilyne. Qu'est-ce qu'elle veut exactement, Suzie Migneault? Prendre la place de Katerie? Est-ce qu'elle s'imagine qu'on ne voit pas clair dans son petit jeu? Elle me tombe sur les nerfs.

Elle jette ses bottes sur le plancher et les regarde tomber sur le côté. Son visage est crispé, comme si elle souffrait.

— Je déteste vraiment cette fille. J'aimerais la voir morte.

— Ne dis pas ça, dit Alex.

Maxine l'approuve.

— Ce n'est pas drôle, dit-elle. Elle se sent peut-être seule, mais ça ne durera pas.

Maxine est assise au bout de son lit et applique du mascara sur ses cils devant un miroir de poche.

Marilyne continue à rouspéter.

— Je ne l'aime pas quand même.

— Elle va probablement laisser tomber, de toute façon.

Maxine range son mascara dans sa trousse à maquillage.

— Alors essaie d'être aimable.

— J'ai plutôt envie d'engager quelqu'un pour lui donner un bon coup de poing sur la gueule. Je n'ose pas le faire moi-même ; j'aurais mal au cœur rien que de la toucher.

Marilyne ramasse ses bottes et les enfile lentement. Elle décide de ne pas laisser ce contretemps lui gâcher sa journée, mais elle ne déborde pas d'enthousiasme lorsque Suzie passe la tête dans la porte.

— Je suis prête, dit cette dernière.

Machinalement, Alex lui adresse un sourire chaleureux ; pour l'instant, elle pense uniquement à Dany. Depuis son retour, elle n'a pas eu l'occasion de passer de temps avec lui. Elle l'a seulement entrevu un jour qu'il est entré dans la classe où elle se trouvait. Et même si elle a prié en silence pour qu'il la regarde, il ne l'a pas fait. Au beau milieu du cours de français, elle ne pouvait quand même pas se lever et crier :

— Je suis là !

C'est donc un grand jour pour elle, qui éprouve pour Dany un désir qui a grandi au fil des semaines.

Elle l'aime tellement que ça lui fait mal en dedans. Cet amour la tue.

Pourtant, elle n'a aucune raison de se faire du souci. Dès l'instant où elle voit le visage de Dany, elle sait que tout va bien, qu'il est toujours fou d'elle. Ses yeux sont rivés sur les siens et, dans l'air glacial, elle comprend qu'il a le souffle coupé. Il n'y a plus de traînées de vapeur blanche qui s'échappent de ses lèvres entrouvertes tandis qu'il la regarde. Et c'est ce moment que le soleil choisit pour apparaître, comme si un projecteur avait brusquement éclairé la silhouette saisissante de Dany.

— C'est curieux, dit Maxine. Il y a quelque chose dont on ne parle jamais à son sujet.

— Quoi?

Alex se tourne vers elle, paniquée, comme un animal pris au piège.

— Qu'est-ce que tu veux dire?

Personne n'est au courant à propos d'eux. Si madame Longpré apprenait ce qui se passe, elle mettrait fin à leur relation.

Maxine hausse les épaules.

— Je ne sais pas. Il a un passé un peu trouble, paraît-il.

— Qui t'a dit ça?

— Un jour, j'ai entendu monsieur Pothier parler de lui avec monsieur Brouillard.

Maxine prend la voix du vieux jardinier:

— Y fera pas de désordre, *icitte*.

Alex est muette.

Quel genre de passé trouble? Elle ne sait pas grand-chose de Dany. Elle se tourne vers lui juste au moment où il s'adresse à deux petits garçons.

Est-ce que Dany a quelque chose à se reprocher? Et si c'est le cas, est-ce que cela peut changer les sentiments qu'elle a pour lui?

— Max n'est pas sellé...

— Il n'est pas dans son assiette, marmonne Alex. On a laissé un message à l'école pour m'avertir que je devrais peut-être monter un autre cheval.

Mais elle n'a pas vraiment envie d'aller à cheval. Elle préfère rester seule et réfléchir à tout ça...

Dany est déçu de voir qu'Alex ne se joint pas au groupe pour la leçon qui aura lieu à l'intérieur.

— Je n'ai pas le goût, dit Alex. J'ai mal à la tête.

Dany a l'air inquiet et fait un geste pour lui toucher la joue. Mais Alex se détourne et entre dans la stalle où Max frissonne.

— Est-ce que ça va? demande Dany.

— Oui. Ça ira mieux bientôt. Je suis préoccupée, c'est tout.

— Bon, il faut que j'aille donner la leçon.

Il n'a pas vraiment envie de partir.

— Je sais. Vas-y, dit Alex.

Il la regarde, songeur, et s'éloigne à contrecœur en écrasant la paille sèche sous ses bottes de cowboy. Quand il a presque atteint la porte, Alex se retourne.

— Dany, est-ce que tu m'aimes?

Il se tourne et la dévisage.

— Si j'avais besoin de toi, est-ce que tu me protégerais ? demande-t-elle.

— Te protéger de quoi ?

— De tout.

— Bien sûr. Tu le sais bien.

— Tant mieux.

Alex lui sourit. Elle ne doute pas de Dany, mais elle a besoin d'être rassurée. En le regardant dans les yeux, elle voit bien qu'il est inquiet. Maxine a probablement inventé toute cette histoire par jalousie.

— Va donner ta leçon, dit Alex.

Dany lui sourit en sortant de la stalle. Alex se retourne et caresse Max. Tout ira bien. Avec Dany… et avec Max.

Mais peu de temps après le départ de Dany, quelque chose vient ébranler la confiance d'Alex. Elle sort dans la cour couverte de neige, une écharpe enroulée autour du cou et une tuque enfoncée sur les oreilles. Elle regarde les montagnes au loin et contemple le paysage hivernal.

Le soleil brille et le temps est très clair. Alex entend les chevaux qui s'ébrouent à l'intérieur du centre, ainsi que Dany qui, d'une voix patiente, répète à Suzie de garder le dos droit. Elle entend un bruit de barres qui s'écroulent quand Sultan, encore une fois, fait tomber Maxine lors d'un saut. La vie a repris son cours normal à Sainte-Bénédicte ; sauf pour Alex, qui vit un amour interdit et qui se demande combien de temps s'écoulera avant que son secret soit découvert. Elle pourrait avoir des ennuis car l'amour, la sexualité et les garçons sont des sujets tabous à l'école. Les filles peuvent devenir complètement folles ou faire une dépression, ça va. Mais pas question de sortir avec les garçons.

Mais qu'ont donc les autorités de Sainte-Bénédicte? Elles ont peur des garçons? Elles s'imaginent que toutes les filles vont décrocher et se mettre à faire des bébés? Alex a seize ans. C'est une jeune femme maintenant. Elle a le désir et la passion en elle.

Appuyée sur la clôture, elle entend quelqu'un qui vient. Elle se retourne et aperçoit madame Longpré qui s'amène dans la cour glacée, l'air terrifiée. Madame Longpré est tellement majestueuse : c'est difficile pour elle de risquer de tomber et de se couvrir de ridicule. Le cœur d'Alex bat la chamade tandis qu'elle observe la directrice qui avance d'un pas incertain.

Madame Longpré porte un manteau en cachemire noir, un cache-col et des bottes grises. Alex n'en revient pas de la voir devant elle : elle n'a jamais vu la directrice mettre le pied en dehors de l'école.

— Bonjour, Alexie.

— Bonjour, madame Longpré.

Comme ça lui arrive souvent en présence de la directrice, Alex éprouve l'envie de faire la révérence. Madame Longpré est si sereine et inspire tant de respect que ça semble toujours la chose à faire.

— Tu as une leçon d'équitation?

— Non, pas aujourd'hui, répond Alex.

Elle est soulagée de voir que madame Longpré est parvenue saine et sauve jusqu'à la clôture. La directrice l'a saisie d'une main, ce qui lui a redonné de l'assurance, puis elle s'est redressée avec grâce.

— Mon cheval n'est pas en forme. Il fait une sorte de gastroentérite.

— Oh ! quel dommage !

— Toutes les autres filles sont à l'intérieur.

Alex se retourne pour désigner le long bâtiment où ont lieu les leçons.

— Ce n'est pas trop grave ?

— Oh non ! Il fait ça souvent. Il a les tripes tordues et parfois, sa nourriture reste bloquée.

« Il a les tripes tordues ? » Alex se demande si elle a bien fait de dire ça devant madame Longpré.

Mais la directrice ne semble pas l'avoir entendue. Elle admire le paysage d'un air pensif. Même le petit nuage que forme son souffle paraît fin et élégant.

— C'est une journée magnifique, dit-elle doucement.

Alexie approuve d'un signe de tête.

— Si ce n'était pas de cette fichue glace…

Madame Longpré jette un coup d'œil vers la cour ; elle appréhende déjà le périlleux chemin du retour.

Puis elle regarde le centre, absorbée dans ses pensées, comme si elle avait oublié la présence d'Alex.

— Le jeune homme qui travaille au centre… est-il à l'intérieur ? C'est lui qui donne la leçon aux filles ?

113

Alex fait signe que oui.

— Il s'appelle Dany, ajoute-t-elle.

— Oui, Dany Morissette, dit madame Longpré d'une voix calme.

Elle semble retourner le nom dans sa tête.

— Je crois que je vais aller jeter un coup d'œil.

Et elle continue son chemin prudemment.

Alex la regarde s'éloigner, perplexe. Pourquoi cet intérêt pour Dany? Elle ne vient jamais au centre équestre. Ce n'est pas son genre… Il y a trop de boue et de crottin de cheval. Alors pourquoi est-elle venue par un temps pareil? Pourquoi affronter la glace et la neige? Elle aurait pu attendre au printemps et venir au volant de sa berline grise. Le pire, c'est qu'elle n'est pas venue toute seule. Un peu en retrait sur le sentier se dresse la silhouette du capitaine Blouin.

— Bonjour, Alexie.

Il n'a pas oublié son prénom depuis tout ce temps.

Alex s'engage sur l'étroit chemin bordé de neige, car le capitaine n'a pas manifesté l'intention d'entrer dans la cour. Il se contente de rester là, examinant attentivement les environs, un vague sourire sur les lèvres. Alex s'étonne encore de son air insouciant, qui semble toutefois cacher un esprit sérieux.

— C'est une matinée splendide.

— Oui, n'est-ce pas? dit Alex. Qu'est-ce que vous faites ici? demande-t-elle d'un ton poli.

— Oh! je passais. Ça m'a paru une belle journée pour faire une promenade.

— Vous êtes venu avec madame Longpré ?

— Madame Longpré ? Non.

Il sourit toujours et Alex a même l'impression que ses questions l'amusent, comme s'il savait quelque chose qu'elle ignore.

— Non. Je marche, c'est tout.

« Mais pourquoi ici ? se demande Alex. Je croyais que tout était réglé et que les deux enquêtes étaient terminées. Y aurait-il du nouveau ? »

Elle pense tout de suite à Dany. Madame Longpré et le capitaine Blouin ont-ils eu vent des rumeurs, eux aussi ? Sont-ils venus dans le coin pour voir de quoi il a l'air ? Qu'est-ce que Dany peut bien avoir fait pour que tout le monde cherche à jeter le blâme sur lui ?

— Tu ne montes pas à cheval ?

— Je n'en ai pas envie, répond Alex.

Et soudain, Alex n'a plus envie de rien. Pourquoi faut-il qu'ils viennent tout gâcher juste au moment où elle a trouvé quelqu'un ?…

Chapitre 23

Le reste de la journée est ennuyeux et morne pour Alex. Elle quitte le centre équestre beaucoup plus tôt que prévu, car des forces extérieures ont envahi la place et empoisonné l'atmosphère. C'est un endroit pour Dany, elle et ses amies. Madame Longpré n'y a pas sa place.

Le capitaine Blouin non plus, d'ailleurs, avec son sourire en coin. Il devrait poursuivre des escrocs et des voleurs au lieu d'espionner Dany, l'homme qu'elle croit aimer. Qu'est-ce qu'il veut prouver ? Essaie-t-il de le coincer à cause d'un méfait que le reste du monde semble avoir oublié ? Même s'il a un passé, est-ce une raison pour épier le moindre de ses mouvements ? C'est complètement injustifié. En fait, Alex est dans tous ses états. Le soir, elle se sent prête à exploser.

Puis une autre mort survient…

* * *

C'est Suzie Migneault qui a plongé vers la mort

116

du haut du balcon du quatrième étage. Elle a atterri dans la cour, sur le pavé, entre deux rosiers. Ses lunettes sont allées choir sur la neige. Dans la confusion qui a suivi, quelqu'un a marché dessus.

Mais elle n'en aura plus besoin maintenant.

Et ce n'est que le début, car au moment même où les policiers ratissent le lieu du crime à l'aide de leurs chiens et de leurs projecteurs, quelqu'un tente d'étrangler Marilyne à l'intérieur de l'école. C'est madame Daigle qui la trouve gisant par terre ; Marilyne a une corde enroulée autour du cou et une vilaine contusion à la joue. Elle a été abandonnée, telle une poupée, au pied de l'escalier principal.

Immédiatement, c'est la panique ; toute l'école est terrifiée, se sentant attaquée par une force diabolique et meurtrière. Et à cause de ces deux agressions sauvages, la peur et le spectre de la mort reviennent hanter Sainte-Bénédicte…

Chapitre 24

Alors qu'on a tenté de faire comme si rien ne s'était passé après les événements tragiques de l'automne, cette fois, Sainte-Bénédicte accuse le coup. Des élèves ont été témoins de la chute fatale de Suzie et de la bagarre qui l'a précédée. Elles ont vu quelqu'un jeter Suzie en bas et la regarder plonger dans le vide.

Le capitaine Blouin se montre pressant auprès de Marilyne, en convalescence à l'infirmerie de l'école, pour qu'elle lui raconte tout ce dont elle se souvient. Il n'y a plus le moindre doute maintenant: dans les deux derniers cas, il ne s'agit pas de simples accidents.

Un assassin rôde dans l'école et tue les filles. Deux d'entre elles sont déjà mortes et une autre s'en est tirée de justesse. Le monde est froid et menaçant. Alex n'arrête pas de penser: « Je suis si loin de chez moi… »

Elle n'arrive pas à le croire. Elle est enfermée dans sa chambre pendant que les policiers passent les couloirs au peigne fin. L'école est en état de siège tandis que la terreur règne dans ses murs. C'est peut-être l'une d'elles... Ça peut être n'importe qui. Monsieur Brouillard. Madame Longpré. L'une des nombreuses femmes de ménage. Le laitier. La jeune femme qui s'occupe de la poste au secrétariat et qui a le regard tellement fixe... Et si c'était un enseignant? Il peut s'agir de monsieur Chartier... Il a très bien pu tuer Katerie et mademoiselle Savage...

Mais Suzie Migneault?

Alex ne sait plus. Elle ne peut imaginer quel motif aurait pu le pousser à la tuer. Il existe peut-être un lien entre Suzie et monsieur Chartier. Ou peut-être qu'il méprise carrément les filles. Sa charmante bonhomie, ses chaleureux sourires... Est-ce que ce n'est qu'une façade derrière laquelle se cache un ignoble personnage? Est-ce qu'un mal secret ronge son âme et commence à émerger?

Alex a besoin de parler à Dany. Il faut vraiment qu'elle le voie. Elle a besoin de le serrer contre elle et de sentir ses bras l'enlacer. Dany lui donnera la force de tenir le mal à distance...

Elle a besoin de quelqu'un en qui elle peut avoir confiance.

Chapitre 25

— Dany Morissette ? Non, il n'est plus ici. Il est parti assez soudainement.

— Oh !

Alex se tient à la porte de la maison voisine du centre équestre, les pieds dans la neige. Le froid transperce ses bottes, ses jambières… et son âme. C'est la pire chose qu'elle pouvait entendre.

Dany a décampé et l'a quittée sans même se donner la peine de lui dire au revoir, en plein cauchemar, au moment où elle a si peur, où elle se sent si seule. L'école est sens dessus dessous, tout le monde est affolé, et il décide de s'en aller. Comment a-t-il pu lui faire ça ? Ne compte-t-elle pas pour lui ? Ses paroles, ses regards… Ça ne voulait donc rien dire ?

En levant les yeux vers le propriétaire du centre, Alex n'arrive plus à retenir ses larmes et les laisse couler sur ses joues.

— Est-ce que ça va ? demande l'homme dont le visage rougeaud exprime la consternation.

— Oui, ça va, souffle-t-elle en s'efforçant de lui

sourire tout en essuyant ses larmes.

Alex a couru un grand risque en se rendant ici ; c'est tout un choc pour elle de voir que ça se termine aussi bêtement. Car au lendemain de la mort de Suzie, les allées et venues ne sont pas autorisées à Sainte-Bénédicte. Alex a dû grimper pour passer par un trou dans la clôture du champ du côté est, puis courir jusqu'au centre.

Ses poumons étaient en feu et son cœur battait à tout rompre quand elle est finalement arrivée, juste au moment où le soleil se couchait. Le centre avait l'air abandonné. Il n'y avait aucune trace de la voiture bleue de Dany.

Et voilà qu'elle apprend que Dany n'est pas là. La nuit noire et froide tombe rapidement. Il lui faudra emprunter de nouveau le sinistre sentier bordé de bancs de neige.

* * *

Alex n'a pas choisi la meilleure nuit pour passer par ce chemin. Le vent fait craquer les arbres et agite les hautes branches qui laissent tomber sans prévenir de petits tas de neige molle.

« Ce n'était pas une bonne idée », se dit Alex en trébuchant. Ses bottes glissent comme sur de l'huile sur la surface enneigée et glacée. Elle est déjà tombée six fois et elle s'est tordu un poignet.

Où Dany est-il allé ? Pourquoi a-t-il disparu ? Quand va-t-il revenir, s'il revient ? Si Alex avait plus de temps et n'était pas aussi désespérée, elle se poserait probablement toutes ces questions. Elle aurait aussi le temps de pleurer la pauvre Suzie et de s'inquiéter du traumatisme qu'a subi Marilyne. Alex l'a vue à deux reprises aujourd'hui ; les ecchymoses autour de son cou sont absolument épouvantables.

«Je pourrais être la prochaine», ne cesse-t-elle de se répéter intérieurement. Le sentier peu éclairé n'est pas l'endroit indiqué pour avoir ce genre de pensée. La prière récitée le lendemain de la mort de Katerie lui revient constamment à l'esprit.

Mais Alex n'en a retenu que quelques bribes. Encore et encore, elle répète les mots tout bas…

«La nuit est noire et je suis loin de chez moi.
Guide-moi vers ta lumière.»

La nuit est si dense que ça semble irréel. Au loin, les lumières donnent l'impression de faiblir. Alex constate qu'il a recommencé à neiger.

Les arbres murmurent et un bruissement emplit la haie. Quelque chose surgit dans la nuit, comme si Alex était poursuivie. Elle n'ose pas se retourner de crainte de voir ses peurs se concrétiser : et si le meurtrier la suivait ? Il semble gagner du terrain, remarque-t-elle. Quelqu'un ou quelque chose s'approche dangereusement.

Alex se met à courir. Ses bottes s'enfoncent dans la neige qui la ralentit comme de la boue. Elle ne doit surtout pas se retourner. Car on lui sautera dessus.

Alex va être tuée par une nuit froide dans un champ désert ; les flocons seront son linceul, la glace sera son tombeau. Elle reposera toute seule dans le froid. Les renards mangeront sa chair. Non. Ça ne se peut pas. Alex est trop intelligente pour s'être aventurée dans un champ le soir… Trop intelligente pour être sortie seule alors qu'un assassin rôde. Mon Dieu ! comme elle est intelligente !

Alex pousse un cri lorsque son pied s'enfonce dans la neige et que les branches lui fouettent le visage. Elle glisse et tombe.

Au moment où elle essaie de se relever, Alex aperçoit des mains tendues vers elle. Puis elle s'évanouit.

Chapitre 26

Le capitaine Blouin aide Alex à se relever et enlève la neige sur son anorak.

— Est-ce que ça va ? demande-t-il d'un ton anxieux.

Alex fait signe que oui, tendue. Elle claque des dents et doit se mordre les lèvres pour les empêcher de trembler. Elle saisit le capitaine Blouin par les manches de son long manteau.

— Quelqu'un me poursuivait.

Le policier hoche la tête et recule d'un pas. Il prête l'oreille dans la nuit d'encre.

— Il n'y a plus personne maintenant, dit-il doucement.

— Mais quelqu'un me courait après !

— Peut-être que c'était seulement le vent. La nuit, on imagine toutes sortes de bruits étranges.

Alex pousse un long soupir en relâchant les muscles de son cou ; elle ressent un élancement dans le dos là où elle est tombée. Elle enlève le reste de la neige sur son anorak et regarde fixement derrière elle.

— J'ai cru entendre quelqu'un.

Le capitaine Blouin acquiesce encore une fois et adresse un pâle sourire à Alexie.

— Tu ne devrais pas être ici à une heure pareille. Tu devrais être à l'école. Les policiers sont là pour vous protéger.

— Oui, je sais, dit-elle.

— Alors, qu'est-ce que tu faisais ici ?

— Il fallait que je voie quelqu'un.

— Ça devra attendre. Tu resteras à l'école tant que cette affaire ne sera pas éclaircie. Tu y seras beaucoup plus en sécurité.

Alexie approuve d'un signe de tête. « Aussi en sécurité que Katerie, se dit-elle. Aussi en sécurité que Suzie, que Marilyne et que mademoiselle Savage. » En fait, plus elle y pense et plus elle se dit que le collège Sainte-Bénédicte est peut-être le pire endroit où se réfugier.

Chapitre 27

Cette nuit-là, Alexie rêve du meurtrier qui rôde dans l'école. Alex est la seule qui reste maintenant. L'assassin a tué toutes les autres et veut s'en prendre à elle. Dans les longs couloirs vides de l'école, un fou la pourchasse.

Personne ne peut lui venir en aide, car l'école est coupée du monde. Personne n'entend ses hurlements couverts par le mugissement du vent. Seul le bruit assourdissant des pas de l'assassin derrière elle résonne dans le vieil édifice, comme le roulement lugubre de la mort joué par un tambour invisible.

Alex ne voit aucune sortie et ne peut rien faire pour se protéger. Elle entend la lame qui fend l'air et qui s'enfonce dans tous les murs sur son passage. Alex n'a pas d'autre choix que de monter. Elle grimpe tous les escaliers jusqu'au moment où elle atteint le toit, là où les drapeaux flottent au vent, comme des fantômes. La neige mouillée lui tombe dans les yeux. Mais le tueur n'abandonne pas, enfonçant toutes les portes; sa grande cape se gonfle derrière lui. Il est déchaîné. Son ombre se dresse et cache les lumières vacillantes.

La peur d'Alex est indescriptible : elle hurle dans la nuit en regardant tout en bas dans la cour, là où Suzie Migneault est morte. Elle aperçoit l'endroit où elle s'est écrasée et elle l'entend qui l'appelle. Elle l'entend aussi clairement que le vent qui lui gifle le visage et l'entraîne vers le bord. Un vent qui la tire et la maintient d'une main gantée.

Elle se débat pour repousser le gant de cuir puant qui lui couvre le visage et l'empêche de parler ou de crier. Le gant appuie sur sa gorge. Alex ne peut plus respirer. Elle va mourir.

Et ce n'est pas un cauchemar. Le gant est vraiment plaqué contre sa bouche. En ouvrant les yeux, Alex aperçoit une forme sombre penchée au-dessus du lit.

— C'est seulement moi, dit une voix.

Alex s'agite. Mais qu'est-ce qui se passe ? Quelqu'un est en train de la tuer et dit : « C'est seulement moi » ? Alex donne des coups de pied et tente de lui griffer le visage…

— C'est seulement moi, dit-il.

C'est Dany : il la tient. Il a posé sa main sur la bouche d'Alex pour l'empêcher de pousser un cri d'effroi. Il essaie de se protéger le visage en lui maintenant les bras.

Alex arrête de se débattre.

— Qu'est-ce que tu veux ? siffle-t-elle lorsqu'il retire sa main.

Elle jette un coup d'œil vers Maxine, qui semble dormir. Les autres lits sont vides : Katerie n'a pas été remplacée et Marilyne est toujours à l'infirmerie.

— J'ai besoin de ton aide, dit-il.

— Tu es complètement fou. Tu ne devrais pas être ici. Je vais finir par me faire renvoyer.

Elle sent la panique qui monte en elle à la pensée qu'on puisse la surprendre avec un homme dans sa chambre.

— La police est partout. Je ne pourrai pas ressortir tout seul.

Alex se sent mal tout à coup.

— Tu n'as pas eu de problèmes à entrer, d'après ce que je vois.

— Il y a des chiens dehors et des policiers dans les couloirs.

— Je m'en moque ! Sors d'ici !

Elle tente de le repousser en se dressant dans son lit, priant pour que Maxine ne se réveille pas.

— Je t'aime, Dany… Mais tu n'as pas le droit de venir dans ma chambre !

Elle veut qu'il sorte tout de suite au cas où quelqu'un viendrait. Les policiers patrouillent les couloirs toutes les demi-heures. Si l'un d'eux les entend parler, elle n'aura plus qu'à faire ses bagages : elle sera expulsée pour avoir été le déshonneur de l'école.

— Ils croient que je l'ai tuée.

— Quoi ?

Alex reste figée dans son lit. Elle sent une lame glacée lui chatouiller le dos.

Dany prend une grande inspiration.

— Ils croient que je suis l'assassin, murmure-t-il dans le noir.

Chapitre 28

Au milieu de l'escalier, elle manque de s'étrangler de peur. «Et si c'est lui? pense-t-elle. Si c'est lui qui les a tuées? Il marche juste derrière moi et je n'ai que ma chemise de nuit... Ce n'est pas une grande protection. Et s'il le faisait? S'il m'enfonçait un couteau entre les deux omoplates? Mon Dieu! Oh! mon Dieu! Qu'est-ce que je suis en train de faire? Comment ai-je pu me laisser entraîner dans une histoire pareille?»

Il la suit de près; elle le sent effleurer sa chemise de nuit.

«Aidez-moi. Mon Dieu, aidez-moi», pense-t-elle.

* * *

Ils montent l'escalier qui mène jusqu'au toit et s'arrêtent devant la porte du grenier, son refuge secret. Alex a décidé d'y emmener Dany pour qu'il lui explique ce qui se passe, mais elle n'est plus certaine d'avoir eu une bonne idée.

Alex se sent très seule tout à coup. Vulnérable et

fragile, aussi. Elle ne veut pas douter de lui, mais elle a quand même peur qu'il essaie de la tuer. Mais pourquoi le ferait-il? Elle s'efforce de chasser ses idées sombres. Elle est angoissée, c'est tout. Elle est amoureuse de lui.

Mais Katerie aussi l'était… «Mon Dieu! se dit-elle. Qu'est-ce que je fais ici?…»

Chapitre 29

Dany referme la porte tandis qu'Alex s'éloigne lentement à reculons.

— Tu n'as pas besoin d'avoir peur, dit-il doucement.

— Ah non?

Elle n'est pas convaincue. Elle continue à reculer jusqu'au moment où elle heurte un montant. Une brise légère fait osciller l'ampoule; on dirait que les ombres descendent en piqué comme des vautours venus se nourrir à ses pieds.

— Tu as dit que les policiers te cherchent.

— Oui, ils me cherchent partout.

— Je suppose que c'est parce qu'ils n'ont rien de mieux à faire?

— Non…

Dany pousse un soupir.

— Ils pensent avoir trouvé un indice. Mais c'est un coup monté.

Alex hoche la tête, incrédule, et croise ses bras tremblants. Elle a la chair de poule.

— La police a monté un coup?…

— Non, pas la police, répond Dany. Probablement le meurtrier.

Alex recule encore un peu quand il s'éloigne de la porte. Il a l'air profondément désespéré.

— Je ne te ferai pas de mal, dit Dany. J'avais seulement besoin de parler. Je n'ai nulle part où aller.

Il a l'air abandonné lorsqu'il se laisse glisser le long d'un mur, les mains jointes autour de ses genoux. La lumière éclaire son visage, mettant en évidence toute la tension qu'il ressent.

— On a retrouvé mon canif tout près de l'endroit où Marilyne a été attaquée. C'était une sorte de souvenir… Mon nom est gravé sur la lame.

Il se pince l'arête du nez, bouleversé.

— Je l'ai perdu il y a quelques semaines.

Alex frissonne.

— Et la police l'a retrouvé.

— Mais ce n'est pas moi qui l'ai laissé là.

Il regarde ses mains fixement. Des ombres se dessinent sous ses yeux.

— Je ne suis pas un meurtrier.

Alex se déplace légèrement d'un côté. Elle ne lui fait pas encore entièrement confiance, mais elle n'est pas certaine qu'il soit coupable non plus. Elle a peur que, derrière ces yeux bruns et graves, se cache un tueur qui joue avec elle.

— Mais tu as déjà eu des ennuis, fait-elle remarquer doucement en scrutant son visage comme si elle y cherchait un indice.

Elle espère que Dany pourra lui fournir une explication qui la convaincra de son innocence.

— J'ai eu des ennuis, c'est vrai. Mais c'était pour des délits mineurs. Et on m'a mis en prison pour quelque chose que je n'avais pas fait. Quand la police a attrapé le vrai voleur, on m'a relâché, mais il était déjà trop tard. Ce genre de chose nous colle à la peau et revient nous hanter. Ce qui n'était qu'une éclaboussure au départ devient une tache à notre réputation ; et tout ce que les gens voient, c'est cette tache, et non l'homme qu'on est.

Dany s'empare d'un livre et commence à le tripoter distraitement, le tournant et le retournant entre ses mains puissantes et bronzées.

— Je n'ai jamais blessé personne. Je n'ai jamais rien fait de mal.

Alex le regarde dans les yeux.

— Et maintenant, est-ce que tu vas me faire du mal ?

Il a l'air anéanti lorsqu'il plonge son regard dans le sien.

— Je ne t'en ferais pas même si tu me suppliais.

— Qu'est-ce que tu vas faire, alors ?

Elle s'assoit tout près de Dany, qui lui prend les mains. Leurs cheveux se touchent.

Dany lui caresse les mains.

— Je vais me cacher pendant quelque temps.

— Pourquoi tu ne vas pas voir la police ?

— N'oublie pas que j'ai un casier judiciaire. Combien de temps tu crois que je tiendrais ? On va me jeter en prison et me laisser moisir là pendant vingt ans.

Dany se lève et regarde par la minuscule fenêtre pratiquée dans le toit en pente. Mais une épaisse couche de neige l'empêche de voir dehors.

— La police a bloqué tous les chemins pour que je ne puisse pas m'enfuir. C'est comme si on m'interdisait l'accès au monde. Mais même quand on est pris au piège, il y a encore de l'espoir.

— Où vas-tu aller?

— Je ne sais pas. Vers le nord. Je vais essayer de trouver un endroit où je pourrai recommencer à zéro.

— Et moi, dans tout ça?

Il se tourne vers elle.

— Je t'aime, Alexie.

— Je t'aime, moi aussi, dit-elle en se levant et en se jetant dans ses bras pour l'embrasser.

Et c'est dans ce grenier poussiéreux qu'elle jure de le protéger et de l'aimer toujours.

Ce n'est que plus tard, lorsqu'elle redescend sans bruit, qu'Alex repense à tout ce qu'elle sait au sujet de Dany: son rendez-vous secret avec Katerie; le fait qu'il ait découvert le corps de mademoiselle Savage dans le lac; sa déception en voyant qu'Alex n'allait pas à la leçon. Il en a peut-être voulu à Suzie parce qu'elle est montée à sa place. Est-ce qu'un long baiser peut effacer tous ces doutes? Alex ne sait plus du tout où elle en est, debout dans le couloir obscur.

Puis elle prend une grande inspiration, trouve un policier et dénonce Dany…

Chapitre 30

Mais loin d'arranger les choses, ce geste de la part d'Alexie plonge Sainte-Bénédicte dans un émoi encore plus grand.

Tout le monde a été sidéré en apprenant la nouvelle. Alex, de son côté, se sent coupable de trahison. Tout ce qu'elle souhaite, c'est que la vie reprenne son cours normal et qu'on ne parle plus de cette histoire. Car elle n'oubliera jamais qu'elle a trompé la confiance de Dany, même si c'était le seul moyen de faire éclater la vérité. Et malgré tout, un certain doute subsiste dans son cœur meurtri.

Ce qu'elle veut, c'est du temps pour réfléchir et mettre de l'ordre dans ses idées. Elle n'a pas envie d'être la nouvelle héroïne de Sainte-Bénédicte.

Après une longue journée passée à calmer ses amies et à répondre aux questions de la police, elle éprouve un grand besoin de solitude. Pourtant, il reste encore une chose qu'elle a le sentiment de devoir faire. Elle doit aller voir monsieur Chartier et tenter de justifier sa conduite, car elle a érigé un mur entre eux qui n'a plus sa raison d'être. Elle doit lui dire que tout est réglé et qu'ils sont de nouveau amis.

* * *

Il est exactement dix-neuf heures lorsque Alex traverse la cour en direction du pavillon des enseignants. La neige fond et les allées sont couvertes de *slush*. La nouvelle lune a réussi à se frayer un chemin entre les nuages. Toutes les lumières de l'école sont allumées ; on entend même des rires. On se croirait la veille de Noël.

Alex a plusieurs livres sous le bras et s'apprête à les rendre à monsieur Chartier. Elle sait que le professeur s'inquiète de la froideur qu'elle a laissée s'installer entre eux récemment. Aujourd'hui, elle n'aura pas besoin de dire grand-chose. Il comprendra.

— Vous en avez d'autres ? lui demandera-t-elle.

Et il lui adressera un sourire radieux avant de fouiller dans son bureau.

— Est-ce que ceux-là font l'affaire ?

Et elle répondra :

— Oui, parfaitement.

Voilà. La boucle sera bouclée et tout pourra recommencer à neuf.

Avant de partir, elle lui dira :

— La prochaine fois, j'aimerais bien lire quelque chose de Félix Leclerc. Félix Leclerc, vous connaissez ?

Et ils éclateront de rire tous les deux.

* * *

Le bureau de Jean Chartier est silencieux lorsqu'elle arrive devant la porte, mais la lumière est allumée. Alex décide d'attendre un peu ; le professeur est peut-être dans la baignoire. Son appartement est adjacent à son bureau. Ou peut-être qu'il est dehors en train de faire son *jogging*.

Alex pousse la porte entrouverte. Le feu crépite faiblement dans le foyer, mais c'est le seul bruit audible.

— Monsieur Chartier ? appelle-t-elle.

Mais il ne vient pas. La lampe est allumée sur son bureau où une pile de livres s'est écroulée.

— C'est Alexie, dit-elle en entrant. Je vous rapporte *Le Matou*[4] et les autres romans que vous m'avez prêtés.

Toujours pas de réponse.

— Je les laisse sur votre bureau.

Et c'est alors qu'elle aperçoit son visage couvert de sang. Monsieur Chartier est étendu sur la moquette vert pâle, un bras au-dessus de la tête et l'autre sur sa poitrine. Sa main tient fermement le coupe-papier qu'on lui a enfoncé dans les côtes. Le professeur est conscient, mais est incapable de bouger ou de parler. Lorsque Alex recule, pétrifiée, en portant les mains à son visage, il l'implore du regard.

— Aide-moi… parvient-il à souffler.

4. Yves Beauchemin, Québec/Amérique, 1981.

Chapitre 31

Après l'euphorie de la journée, la nouvelle qui s'abat sur Sainte-Bénédicte a un effet dévastateur. Les policiers envahissent l'école encore une fois, accompagnés de chiens policiers, en plus d'établir des barrages sur toutes les routes des alentours. Mais le principal obstacle, c'est qu'on ignore toujours qui a fait le coup. Car peu de temps après qu'Alex l'a trouvé, monsieur Chartier a perdu connaissance, et il est peu probable qu'il revienne à lui avant d'être opéré. De nouveau, la menace est là dans chaque coin sombre, et tout le monde se méfie.

C'est une épreuve particulièrement pénible pour Alexie qui, encore en état de choc, doit composer avec son sentiment de culpabilité. Ce dont elle a le plus besoin, c'est de se sentir entourée de ses amies. Mais elle n'en trouve aucune. Marilyne est toujours à l'infirmerie et Maxine semble s'être volatilisée. Toutes les autres filles la fuient, complètement ter-rorisées à l'idée de passer une seule minute avec elle.

En désespoir de cause, Alex va de chambre en chambre, à la recherche d'un visage amical, en quête d'un mot gentil. Mais elle ne rencontre que des filles au visage de marbre, dont certaines donnent l'impression de se sentir trompées. Car le cauchemar continue. Elles ont cru qu'Alex les avait sauvées, mais leur peur est revenue. Leur nouvelle héroïne en est une aux pieds d'argile et elle les a trahies.

Alexie pleure en grimpant l'escalier qui mène au grenier. Personne ne viendra la déranger dans son repère secret. Elle pourra fermer la porte au monde entier…

Chapitre 32

Dans le vaste grenier de Sainte-Bénédicte, le bang de la porte qui claque résonne encore et encore. C'est un bruit final, comme si la lourde porte était le couvercle d'un cercueil qui se referme sur la nuit. Alex s'assoit et pleure, secouée par les derniers événements. C'est le bouleversement le plus complet dans sa tête. Ses pensées gravitent dans une zone redoutable où la peur et les cauchemars font le guet ; où l'amour a été trahi et où celui qu'elle a accusé la regarde, impuissant.

Le silence devient lourd et les ombres s'approchent. L'écho de son pouls semble battre dans ses oreilles. Le vent froid qui s'infiltre par le toit vient lui caresser la nuque. Et elle rêve d'assassins…

D'où viennent-ils et quelle sorte de masque portent-ils ? Saura-t-elle les reconnaître s'ils veulent s'en prendre à elle ? Saura-t-elle comment réagir, quoi penser et quoi dire ?

Elle entend un bruit étouffé dans un coin. À peine un murmure dans l'obscurité. À l'intérieur d'une des vieilles armoires, quelqu'un a remué et grogné.

Alex est paralysée ; elle n'arrive pas à bouger ses bras ni ses jambes. Elle est incapable de crier ou de se ruer vers la porte. Elle ne peut que rester assise et regarder lorsque, d'un coup de pied, quelqu'un ouvre la porte d'une penderie.

La silhouette est méconnaissable dans le noir ; elle avance en titubant sur le plancher. Elle a les mains tendues, comme si elle voulait lui sauter à la gorge. Elle se fraye un chemin à travers le bric-à-brac, trébuche contre une chaise et vient vers Alex.

Celle-ci pousse un cri tandis que la silhouette marche d'un pas pesant, comme un pauvre fantôme qui aurait erré dans le grenier depuis des années. Mais le cauchemar est bien réel. La silhouette fonce sur elle à toute vitesse, puis s'écrase aux pieds d'Alex.

Ce n'est que Maxine, ensanglantée et ligotée. On la croirait déguisée pour l'halloween. Une longue entaille traverse son front blanc et étroit. Maxine est à moitié morte de peur.

Derrière Alex, la porte se referme violemment dans le noir.

Quelqu'un vient d'entrer, la rage au cœur.

Quelqu'un qui a claqué et verrouillé la porte.

L'assassin de Sainte-Bénédicte…

* * *

— Je savais bien que je n'avais pas assez serré les cordes.

Alex frissonne tout en reculant, les yeux rivés sur le couteau pointé vers sa gorge. Elle tente de protéger Maxine et de la traîner plus loin, mais son amie ne lui est pas d'un grand secours.

— Pourquoi tu ne la laisses pas là? Elle va mourir bientôt, de toute façon. En fait, vous allez mourir toutes les deux. Toute l'école va y passer. Je viens de mettre le feu à la réserve. Vous sentirez bientôt l'odeur de la fumée.

Alex regarde autour d'elle, espérant trouver un objet qui pourrait servir : un morceau de bois ou quelque chose pour se protéger. Elle aperçoit une pile de livres, mais ils ne lui seront pas très utiles…

— Tu ne trouveras rien. Je sais ce que tu cherches. Quelque chose pour m'assommer. Tu penses que tu peux t'en sortir si tu me maîtrises. Tu t'imagines que tu peux me casser un bras ou me faire lâcher le couteau…

— Pourquoi, Marilyne?

— Pourquoi je les ai tuées?

Marilyne a un sourire inquiétant. Sa longue chemise de nuit blanche fait un doux bruissement en effleurant le sol. Son regard est vide, sans expression, complètement détaché. Elle a l'air étrangement surréaliste.

— Pourquoi je les ai tuées? répète-t-elle. Parce qu'elles m'embêtaient. Je voulais monsieur Chartier et elles étaient dans mon chemin. Je l'aurais eu, si seulement elles s'étaient mêlées de leurs affaires. Mais elles le harcelaient toujours.

La lumière se reflète doucement sur le couteau à longue lame que Marilyne pointe devant elle.

— Je l'ai volé à la cuisine, murmure-t-elle en posant ses lèvres pâles et tremblantes sur la lame. Au cas où j'en aurais besoin. Et maintenant, j'en ai besoin. Je le trouve très beau.

Elle fait une pause avant de continuer.

— Il m'aimait sincèrement, chuchote-t-elle. Mais elles n'arrêtaient pas de fourrer leur nez partout et d'essayer de le séduire. J'ai trouvé une lettre idiote que Katerie lui avait écrite. Il était vraiment à moi.

Marilyne paraît triste et désorientée, comme un chiot perdu dans la tempête.

— Il était vraiment à moi. Il était tout ce qui m'a jamais appartenu.

Elle se détourne pendant un instant, car quelqu'un a tiré la sonnette d'alarme. Le bruit leur parvient de loin, comme d'un autre monde dont elles ne font plus partie.

— Quand j'étais petite, j'étais toujours la dernière à qui mes parents donnaient des choses. Mes sœurs, elles, ont tout eu. Tu connais Sandra ? Mes parents l'adoraient. Ils lui donnaient toujours tout ce qu'elle demandait. Alors que moi, tout ce que je voulais, c'était qu'on m'aime. Mais ils me repoussaient. « Ôte-toi, c'est le tour de Sandra. » J'aurais pu la tuer. Vraiment, j'en avais envie. Et puis…

Les yeux de Marilyne s'assombrissent tandis que les souvenirs douloureux affluent.

— Ils ont dit que Catherine et Julie étaient plus intelligentes que moi. Ils ont dit que j'étais vraiment stupide.

— Ils ne le pensaient pas vraiment, Mari…

— Ils m'ont traitée d'ignorante. Ils ont dit que, de toutes leurs filles, j'étais la seule à les décevoir.

Elle dévisage Alex.

— Pourquoi m'ont-ils dit ça, Al? Je suis leur fille.

— Je ne sais pas, Marilyne, marmonne Alex. Ils ont dû commettre une erreur.

— Ils me détestaient. Mais quand monsieur Chartier a dit que j'étais brillante… Là, j'avais trouvé quelqu'un.

— Mais ça n'allait pas plus loin que ça, Marilyne. Monsieur Chartier n'était pas amoureux de toi.

— Tu te trompes, dit Marilyne. Tu ne sais pas de quoi tu parles.

Ses yeux lancent des éclairs. Elle s'approche d'Alex et se penche vers elle, le couteau dans les airs comme si elle se préparait à frapper.

— Il était fou de moi, mais ces imbéciles étaient contre nous.

— Sauf Suzie, fait remarquer Alex.

— Suzie, je ne pouvais pas la sentir. Alors je l'ai éliminée.

À ces mots, le sang d'Alex se glace dans ses veines. Marilyne ne manifeste pas la moindre culpabilité, pas le moindre chagrin ni remords. Il n'y a aucune émotion dans son aveu. Pour elle, ce n'est qu'un détail technique.

— J'ai frappé mademoiselle Savage, puis je l'ai noyée dans le lac. J'ai jeté le séchoir à cheveux dans la baignoire fumante de Katerie. J'ai tenté le coup du fil de fer barbelé pour lui faire peur, mais ça n'a pas été suffisant. Quant à Suzie, je l'ai attirée sur le balcon du quatrième étage, puis je lui ai donné un coup de poing au visage avant de la pousser en bas…

— Mais toi ? Quelqu'un a voulu t'étrangler…

— Non. Je me suis fait ça moi-même. J'ai enroulé la corde autour de mon cou dans l'escalier et j'ai tiré. J'ai fini par m'évanouir et comme j'ai déboulé quelques marches, mes blessures ont paru plus réelles.

Elle porte la main à l'ecchymose sur sa joue.

— J'ai même laissé le couteau de Dany à côté de moi pour le faire accuser, au cas où, comme toi, la police aurait soupçonné Jean.

— Mais tu l'as poignardé ! s'écrie Alex qui promène son regard autour d'elle tandis que la fumée s'infiltre par le plancher.

Elle essaie de gagner du temps ; mais de toute évidence, il n'y a plus une minute à perdre. L'école est en flammes. Quant au vieux grenier, il n'aura besoin que d'une étincelle pour se transformer en brasier.

— Mais je lui ai tout dit ! s'exclame Marilyne d'un ton passionné.

Elle paraît franchement étonnée qu'Alex soit si lente à comprendre.

— Et il m'a ri au nez. Quand je lui ai dit qu'il m'appartenait, il s'est moqué de moi. Puis quand j'ai ajouté que j'avais tué ces idiotes pour qu'on ait la paix, il est devenu fou furieux. Il voulait appeler la police, Alex. Alors j'ai saisi le coupe-papier et je le lui ai enfoncé dans la poitrine pour qu'il s'arrête et réfléchisse. Mais il s'est effondré. Alex, je ne sais plus...

Marilyne a l'air désespérée.

— C'était tellement ridicule.

Elle se tourne pour faire face à la porte, comme si elle se confiait à l'école tout entière.

— Et maintenant, tu dois mourir pour que ce soit Maxine qu'on soupçonne, et non moi. Je vais te poignarder et, quand on retrouvera vos corps, on croira que c'est Maxine qui t'a tuée.

— Mais monsieur Chartier connaît la vérité.

— Il est mort.

Alex serre Maxine très fort.

— Non. Il est vivant...

Chapitre 33

— Ça ne fait aucune différence. Je vais te tuer quand même.

La fumée devient plus dense et Alex commence à suffoquer. La folie se lit dans les yeux de Marilyne, qui a l'écume à la bouche. Alex ne reconnaît pas la créature déchaînée qui fulmine devant elle.

— Je vais te tuer parce que tu es tellement brillante. Et parce que tu as eu tout ce que je n'ai pas eu. Tu as ta maison, mais moi, je suis une étrangère chez moi. Personne ne m'aime… Personne ne veut de moi…

Marilyne fait les cent pas en agitant le couteau luisant.

— J'aurais dû vous tuer toutes. J'aurais eu l'école rien qu'à moi.

Elle plante le couteau dans le mur.

Le plâtre s'effrite lorsqu'elle le retire.

— Il faut sortir, Marilyne. Sinon, on va toutes mourir !

Alex est terrifiée. La sonnerie de l'alarme résonne dans sa tête.

— Il faut qu'on sorte !

— On n'ira nulle part.

— Espèce de cinglée !

Alex bondit sur ses pieds.

— On va toutes mourir à cause de toi ! Je ne veux pas mourir, moi !

Paniquée, Alex enrage. Elle s'empare d'une planche de bois et la brandit au-dessus de sa tête. Marilyne pousse un cri et fonce avec le couteau, qui atteint Alex légèrement au côté. Alex hurle, puis frappe. Le morceau de bois s'abat comme une faux et accroche l'ampoule, qui vole en éclats. L'obscurité envahit le grenier enfumé, mais Alex s'acharne sur Marilyne à l'aide de la planche. Soudain, un silence lourd de sens s'installe. Alex ne voit rien autour d'elle. Elle ressent une vive douleur au côté gauche. Le sang bat dans ses oreilles. Haletante, elle risque un pas prudent, la planche tendue devant elle comme une canne blanche d'aveugle.

— Maxine ? chuchote-t-elle.

Mais elle n'obtient aucune réponse. Pourtant, elle la sent tout près. Comme Marilyne, d'ailleurs, qui s'apprête peut-être à l'attaquer de nouveau, ou qui gît sur le plancher, blessée.

Alex laisse tomber la planche et tend la main, avançant à quatre pattes pour tenter de trouver Maxine. Elle perçoit une faible lueur autour de la porte du grenier et décide d'aller par là. Elle ira chercher de l'aide. Le personnel de l'école ou la police réussiront peut-être à faire entendre raison à

Marilyne. Alex fait un pas en avant, et Marilyne lui tombe dessus, comme un monstre sorti tout droit de l'enfer.

Un cri effroyable résonne lorsque Alex perd l'équilibre. Les mains de Marilyne lui enserrent la gorge. Alex essaie de la repousser ; ses pieds cherchent en vain un appui tandis qu'elle bat des bras.

Une chaleur intense émane du brasier qui fait rage plus bas. D'épais nuages de fumée s'élèvent maintenant en spirale. Le hurlement furieux et strident de la sonnette d'alarme est assourdissant.

— Lâche-moi, Marilyne !

Alex utilise toute la force qu'il lui reste pour renverser Marilyne et ramper jusqu'à la porte du grenier. Ses doigts cherchent la clé à tâtons. Marilyne pousse un long cri en se lançant à sa poursuite. Alex se retourne et lui donne un coup de poing au hasard. Elle se casse trois jointures en la frappant au visage. Marilyne s'effondre dans le noir. Souffrante, Alex se retient pour ne pas pleurer tandis qu'elle se débat avec la clé pour déverrouiller la porte.

De l'autre côté, quelqu'un frappe à grands coups dans la porte...

Tandis qu'Alex est retournée chercher Maxine, la porte cède...

— Marilyne est toujours là ! crie Alex au capitaine Blouin qui bondit dans la pièce avec deux de ses hommes.

Mais une langue de feu éclate subitement sur le plancher avant de gagner le toit. Le grenier devient cramoisi lorsque les flammes s'étendent, dévorant les livres et la paperasse en rugissant comme une bête. Un mur de feu s'élève et repousse les policiers.

— Marilyne est toujours là !

Ils entraînent Alex hors du grenier.

— Elle va brûler vive !

Ils l'obligent à descendre l'escalier tandis qu'ils portent Maxine.

— Marilyne va mourir !…

Épilogue

Les pompiers n'ont jamais retrouvé son corps, même s'ils ont fouillé les décombres pendant deux jours. Marilyne a peut-être réussi à se relever et à sortir par l'escalier de secours. Ou peut-être qu'elle brûle en enfer. Qui sait ? Elle est peut-être encore là, sous les cendres. Sainte-Bénédicte ne l'a jamais su.

Au moins, l'école n'a pas été complètement détruite, même si les dégâts sont importants et que les étages supérieurs sont à refaire. L'école survivra sans son assassin. Tout comme Alex et Maxine. Elles vont guérir de leurs blessures et survivre à la tragédie.

Un jour, elles reviendront dans les classes du noble collège Sainte-Bénédicte.

Dans la même collection

À paraître

n° 65

Party-surprise

SUPER CLUB FRISSONS

Amateur de Frissons,
sois le premier informé
des nouveautés
de ta collection préférée.

En te joignant au SUPER CLUB FRISSONS,
tu recevras ton ensemble à l'effigie
du SCF* comprenant :

UN T-SHIRT   UN PORTE-CLÉS

UN MACARON   ET UNE AFFICHE

et tous les mois, durant un an,
nous t'enverrons une superbe
carte postale en couleurs
te résumant l'intrigue
du prochain FRISSONS.

SCF

Le tout pour seulement 12,95$
(taxes incluses)

Collectionne tes cartes postales, leur nombre est limité.

Remplis ou photocopie le coupon ci-dessous et fais-le-nous vite parvenir.